당신의 신은 얼마

하승민 경장편

1. 233.1% = ₩11,567,520

우리는 숫자였다. 그래프 위의 작은 점에 지나지 않았다.

수치를 나타내는 막대였으며 선분을 잇는 꼭짓점이었다. 지우거나 밟아도 티 나지 않는 이음새였고 실업률과 취업률, 출산율로 존재하는 통계였다. 우리는 도구였다.

달콤한 목소리가 내게 말을 건다. 너는 기회를 얻지 못한 숫자라고. 너는 100이 되지 못한 1이라고. 숫자와 그래프 속에서 진리를 찾으라고. 그러면 치솟는 그래프처럼, 너도 언젠가 그 높은 곳으로 올라갈 수 있다고.

네. 믿어요. 나는 당신을 믿습니다. 숫자를 믿습니다. 숫자라는 신을 믿습니다. 당신이 나의 언어이며 나의 혀입니다. 이 나약한 나도, 소외받고 차별당하는 내 인생도 당신을 통해 밝아질 것을 믿습니다. 세상은 숫자입니다. 숫자로 세상을 이해하겠습니다. 통계로 시스템을 설명하겠습니다. 존경과 선망, 위로와 이해는 아무런 도움이 되지 못하지요. 우리에게 필요한 것은 판단력과 시드 머니입니다.

그럼요. 믿습니다. 당신이 나의 신입니다.

질병이 먼지처럼 부유하던 해였다. 오래된 개그 프로그램이 막을 내린 해이기도 했다. 한국 영화가 아카데미 작품상을 수상하고 한국 가수가 빌보드 차트에서 1위를 차지한 해였다. 희망과 절망이, 그리고 결국에는 어쩔 수 없는 절망이 도사리던 해였다.

유동성이 유례없이 폭발했다. 전 국민을 대상으로 한 긴급 재난 지원금 지급, 한국은행의 기준 금리 0퍼센트대 인하, 환매 조건부 채권 무제한 매입을 통한 양적 완화, 전 세계적인 경제 활황.

돈이 넘쳤다. 낙하했던 그래프가 솟구쳤다. 부동산 가격이 폭등했고 코스피는 천장을 뚫었다. 세계는 붉었다. 그래서, 내게는 코인의 해였다. 상승과 하락의 그래프가 내 인생을 믹서기처럼 휘저었던 해. 기회의 해였고 몰락의 해였다. 나는 닭을 튀기고 있었다.

"… 줬으면 해."

현기는 말을 흐렸다. 기름 안에서 맹렬한 속도로 치킨이 익었다. 턱 끝에 땀이 맺혔다. 무게를 이기지 못한 땀방울이 툭, 기름 속으로 떨어졌다.

"뭐라고?"
"죽여 줬으면 좋겠다고."

타이머가 울렸다. 치킨을 건져 올려 볼에 넣은 뒤 양념을 둘렀다. 현기는 건조하고 악의 없는 얼굴로 날 쳐다보고 있었다. 나는 현기의 시선을 흘려보내며 포장지를 꺼내 틀을 만들고 치킨을 담았다. 프라이드에 양념이 묻지 않게 조심해서 분리했다. 포장을 끝낸 치킨은 라이더가 가져가도록 카운터에 올려 두었다.

"꼭 죽이지는 않아도 돼. 겁만 줘도 돼."
"손가락이라도 자를까?"

나는 웃었다. 현기 앞에서 짓는 내 웃음에는 좀 비굴한 느낌이 있다. 현기는 좋은 생각이라는 듯 고개를 끄덕였다.

"그래. 그것도 좋네. 납치만 해 와도 돼. 처리는 내가 하고. 300만 원 줄게."

나는 타이머를 켜고 다음 치킨을 기름에 담갔다.

당신의 신은 얼마

"현기야…. 안 돼."

"싫어?"

"미안."

"500이면?"

현기는 얼마까지 올릴 생각이었을까. 나는 얼마 정도에서 수락했을까. 사람의 목숨값은, 얼마일까. 어때? 현기가 물었다. 나는 대답 대신 고개를 떨궜다. 현기는 물엿처럼 끈적거린다. 질척거리고 지저분한 흔적을 남기지만, 달짝해서 쉽게 털어 낼 수는 없는 인간. 나는 현기를 몇 개의 숫자로 표현할수 있다.

179. 현기의 키는 한국 남성 평균치를 상회한다. 나보다는 한 뼘 정도 더 크다.

80. 현기의 체중이다. 현기는 근육질에 재빠른데가 있다. 쌍꺼풀 없이 찢어진 듯한 눈매에 광대와 눈썹뼈가 항쟁하듯 돌출돼 있어 선해 보이는 인상은 아니다. 현기가 내 옆에 서 있을 때면 나는 많이 왜소해 보인다.

29. 현기는 나와 동갑이다. 내년이면 서른이 된다. 그 사실을 생각하면 넥타이를 찬 것처럼 목이 갑갑하다.

2. 현기가 교도소에서 보낸 기간이다. 죄목은 절도죄와 주거침입죄였다. 군 복무 기간에 육박하는

시간인데, 현기는 군대도 다녀오고 교도소도 다녀왔으니 퍽 억울할 것이다.

10. 현기와 알고 지낸 햇수이다. 우리는 1990년대 말의 외환 위기와 2007년부터의 서브프라임 모기지 사태가 휘몰아치고 지나간 폐허를, 가장의 실직과 나라의 파산으로 진흙탕이 되어 버린 바다를 포복으로 기어가는 고등학생이었다. 그 끝에 평범한 직장과 아쉬운 월급이 기다리고 있을 거라는 걸 뻔히 알고 있었지만 인생은 언제나 평범하기가 제일 어려운 법이다.

세상에는 위계가 존재한다. 놀이터에서 만난 아이들끼리도 나이를 묻고 형 동생을 따진다고 들었다. 내가 졸업한 고등학교도 예외는 아니었다. 교장, 교감, 직책이 있는 교사, 평교사, 양호교사, 행정실 직원, 수위, 시설 관리인들이 계급을 형성하고 있었다. 학생들 사이에도 위계는 존재했다. 나는 누군가가 라이터로 머리카락을 태워도 아무 말 못 하는 말단이었다.

내 머리카락을 태운 녀석은 동우였다. 양쪽 눈알이 함께 움직이지 않고 따로 구르는 듯한 인상을 주는 녀석이었는데, 때로는 머리와 몸이 각자 놀기도 하는 모양이었다. 2분단 중간이었던 제 자리를 두고 교실을 어슬렁거리며 아무에게나 시비를 걸었다. 제 딴에는 장난이라고 생각한 건지도 모르겠지

만 여간 성가신 게 아니었다. 슬금슬금 자리를 옮기
다 내 옆자리까지 다가온 녀석은 라이터를 켜 내 머
리카락을 그슬리기 시작했다. 귓바퀴가 뜨끈해져
화들짝 물러났는데, 동우는 끈질기게 라이터를 갖
다 댔다. 그때 동우가 무슨 생각으로 그런 짓을 했
는지, 오랜 시간이 지난 지금까지도 알 수가 없다.
어쩌면 지금쯤 동우가 멀쩡하게 대학을 나와 직장
인이 되어 있을 거라는 생각을 해 본다. 결혼을 했
을지도 모른다. 아이가 있을 수도 있겠지. 그 아이
가 이미 초등학교에 들어갔을지도 모르고. 잠자리
에 들기 전 문득 옛 생각이 나서 허접해 보이는 친
구의 머리카락을 라이터로 지지던 이야기를 아내
에게 들려줄 수도 있을 것이다. 과거의 악행에 대해
용서를 구하면서. 사실 동우가 어떤 삶을 살고 있는
지는 중요하지 않다. 그 시절의 동우를 이해하지 못
하는 것도 아니니까. 저녁 9시까지 학교에 붙잡혀
자율 학습을 하고 있는 열일곱 살의 남학생에게 이
성적인 사고를 기대할 수는 없는 것이다.

"하지 마."

책으로 우산을 만들어 머리에 쓰고 억울한 미소
를 지으면서 내가 말했다. 동우는 멈추지 않았다.

"하지 말라니까."

목소리를 좀 높여 봤다. 해지맬래니깨. 동우가
밉살스레 빈정거렸다. 교실의 시선이 우리에게 쏠

렸다. 그 건조한 눈빛 사이에 현기도 있었다. 잠을
깨우는 소리가 마뜩잖다는 표정이었다. 하지만 현
기는 고함을 지르지도, 책상을 걷어차지도 않았다.
아무것도 하지 않고 동우를 노려보기만 했다. 꽤
나 멀리 떨어진 곳에서 깍지 낀 두 손을 책상 위에
올려놓고 지긋이 눈을 깜빡였다. 그걸로 충분했다.
동우는 멀대처럼 서서 숨을 몇 번 들이켜더니 머쓱
하게 자리로 돌아갔다.

현기가 왜 그런 행동을 했는지 나는 알지 못한
다. 그저 기분이 좋지 않았던 어느 저녁, 동우의 행
동이 마음에 들지 않았을 뿐일 거라고 생각한다.
결국 현기도 저녁 9시까지 학교에 붙잡혀 자율 학
습을 하고 있는 열아홉 살의 남학생이었으니까. 나
는 급식 당번일 때 소시지나 고기 반찬을 좀 더 많
이 담아 주는 것으로 고마움을 표했다. 하루는 현
기가 물었다.

"너 공부 열심히 하더라?"

나는 기분이 좋아 헤실거렸는데 그 말의 진짜 의
미가 뭐였는지는 중간고사 기간이 되어서야 깨달
았다. 어째서인지 시험 기간에만 내 뒷자리로 옮겨
앉은 현기는 문제를 풀 기미를 보이지 않았다. 엄
지를 딸깍거리며 샤프심을 조금 뽑아낸 다음 바닥
에 눌러 집어넣고 다시 샤프를 딸깍거릴 따름이었
다. 그러다 시험 시간 막바지에 내 등을 쿡쿡 찔렀

다. 집요하게, 그래서 내가 슬쩍 답안지를 옆구리 아래로 보여 줄 때까지. 답을 다 베껴 쓴 현기는 이 번에는 덜 신경질적인 손짓으로 등을 톡톡 쳤다. 고맙다는 의미였을 것이다. 시험 결과는, 둘 다 형편없었다. 현기는 나를 질책하지 않았다. 그보다는 좀 안쓰럽게 나를 바라봤던 것 같다.

그날 내 성적에는 억울한 면이 있다. 하필 현기가 도와 달라고 한 시험 과목이 영어였기 때문이다. 수학이라면 괜찮았을 텐데.

졸업 전까지 현기와는 좀 더 친해졌다. 우리는 가끔 게임을 하고 놀았다. 현기는 중학생 때부터 담배를 피웠고 가끔 오토바이를 탔다고 했다. 질 나쁜 친구들이 주위에 많은 모양이었는데 내게는 소개해 주지 않았다. 내 학창 시절은 보잘것없이 흘렀다. 녹색 칠판으로 가로막힌 벽, 죄수복을 복사해 붙여 넣은 듯한 교복, 호르몬이 넘치는 남학생들이 뿜어내는 쉰내가 내 10대 후반을 정의했다. 묵은 빚을 안고 하루하루 사는 기분이었다. 이 빚을 다 갚는 날 교실을 빠져나가면 분명 다른 미래가 기다리고 있을 거라 믿었다. 지금보다 더 나은 미래가 아니라도 좋았다. 그저 뭔가가 달라졌으면 했다.

졸업식에 아버지와 여동생 예리가 찾아왔다. 건물 벽에 기대 사진을 찍는데 눈앞이 뿌옇게 변하면서 기침이 터졌다. 현기가 밀가루를 뿌린 거였다.

"사진 찍자, 오빠. 웃어."

예리가 말했다. 나는 억지로 입을 벌려 미소 지었다. 사진 속 현기는 꽃다발을 한 손에 들고 어깨동무를 하고 있다. 순간의 단면. 행복해 보이는 한 때. 교문을 나서기 전 돌아본 학교는 여전한 폐허였고 그 어디에도 내 흔적은 보이지 않았다.

졸업 이후의 세계에 대해서는 준비가 되어 있지 않았다. 대학에는 들어갔지만 취업은 하지 못했다. 계층과 위계의 구분이 격자처럼 얽힌 세상에서 나는 분화되지 못한 종이었다. 남성으로 분류되기에는 약자였고 젊은이라고 하기에는 패기, 야망, 열정이 부족했다. 재산으로 보면 소외 계층에 가까웠으며 그렇다고 여자나 아이도 아니었으니, 말하자면 종의 외곽에 존재하는 돌연변이였다.

이제 나는 시장 골목에 딸린 치킨 가게에서 일한다. 하루에 대략 50마리의 닭을 튀긴다. 프라이드 치킨 한 마리는 700그램이다. 50마리면 35킬로그램, 무와 소스, 포장지와 젓가락을 더하면 그 무게가 45킬로그램을 훌쩍 넘는다. 스물네 캔이 한 팩으로 묶인 콜라를 데드리프트 하듯 들었다 놓다 보면 허리가 시큰거린다. 가끔 튀김 조각을 집어 먹는다. 질릴 때도 되었는데 치킨은 습관처럼 입으로 들어온다. 주문 알람이 쉬지 않고 울린다. 기름 온도를 높이고 닭고기 조각을 던져 넣는다. 고기에 남아 있던 수분과 피가 흘러나온다. 175도짜리 기름이 덤벼든다.

"이건 어때? 일 끝나면 우리가 래더코인에 투자했던 돈을 바로 빼는 거야. 그 절반을 너 줄게. 생각 잘 해 봐. 코인 가격이 계속 오를 거래. 박정배라는 인간을 내 앞에 데려다주기만 하면 돼. 절대 들키지 않는 방법을 안다니까. 학교에서 배운 건데 사람을 재우려면 말이야…"

"구산1동 반반이죠?"

라이더가 치킨을 챙겼다. 동시에 우리 대화는 중단됐다. 가게가 조용해지면서 사람을 재우려면 말이야, 하고 큰 소리로 말하던 현기에게로 시선이 쏠렸다. 어른이 된 후로, 그리고 복역을 마친 후로, 현기는 남들 눈에 띄는 걸 좋아하지 않는 사람이 되었다. 모자를 눌러쓰고 주머니에 손을 꽂은 현기가 라이더를 따라 가게를 떠났다. 입구에 달아 놓은 종이 딸랑거렸다.

*

최닥은 엘리베이터 거울을 보며 넥타이를 고쳐 맸다. 오랜만에 갖춰 입은 정장이 영 불편했다. 거

슬리던 흰머리 한 가닥을 뽑았을 때 엘리베이터가 꼭대기 층에 도착했다. 갑자기 상승한 고도에 귀가 먹먹했다. 열린 문 앞에서 정책 본부장이 기다리고 있었다. 곧이어 안내받은 너른 집무실에 있는 물건이라고는 책상 하나, 그 앞의 소파가 전부였다. 그 공허가 사람을 압도했다.

미팅 제의를 받은 건 일주일 전이었다. 야당 선거 대책 위원회의 정책 본부장이 직접 연락을 주었다. 차기 대권 주자인 유 후보가 만나고 싶어 한다는 거였다. 연락을 한 정책 본부장은 최닥과 같은 대학교 출신이라는 걸 제외하면 마땅히 연이 닿은 부분이 없었다. 그런데도 정책 본부장은 최닥이 암호 화폐로 많은 돈을 벌었다는 것, 그전에는 주식으로 큰 성공을 거뒀다는 것, 그 이전에는 강남에서 잘나가는 치과 의사였다는 것을 파악하고 있었다. 주식 투자는 혼자 하는 일이었고 암호 화폐 투자는 회사 이름으로 진행했다. 강남에서 일하는 치과 의사는 수백 명쯤 되는지라 정책 본부장이 최닥을 집어 미팅을 주선했다는 사실이 의아했다.

고위 공무원 출신인 유 후보가 차기 대권 주자로 부각되기 시작한 건 1년여 전 일이었다. 당내 유력 후보들의 연이은 실책 탓에 가만히 있는 유 후보에게 이목이 집중되기 시작했다. 몇 차례 차기 대권 후보로 언급된 후로는 언론이 힘을 실어 주었다.

당신의 신은 얼마

당내 중진들이 하나둘 결집한 덕에 당내 경선까지 무사통과였다. 하지만 검증된 능력이 없는 후보라는 점이 발목을 잡았다. 정치에 발을 들인 지 오래되지 않았고 선출직으로 일한 경험이 전무했다. 국정 전반에 대한 낮은 이해도 역시 약점으로 지적되었다. 말하자면 이번 미팅은 토론회를 준비하기 위한 과외였다.

"급하게 모셔서 미안해요. 대선 토론은 준비해야지, 시간은 없지, 전문가도 부족하지, 그런데 급이 안 되는 사람을 데려올 수는 없잖아요. 젊은 졸부들이나 운 좋게 한탕 크게 먹은 사람을 후보님께 소개해 드릴 수도 없고요. 좀 장기적으로 도움이 될 사람을 모시고 싶었어요."

정책 본부장이 말했다. 의사 타이틀이 이럴 때 도움이 되는구나 싶었다.

"제 이력은 어떻게 알았어요?"
"뭐, 저희는 여러 곳에서 소스를 받으니까요."
"그런데 시장 상황을 듣고 싶으시면 대학교수도 있고 경제학자도 있을 텐데요."
"그런 사람들이야 멘토고요. 이건 현장 방문 같은 거라고 해야 하나. 일반인들 목소리를 들어야 제대로 준비한다고 볼 수 있지 않겠어요? 대선 후보가 대충 하면 안 되지. 너무 걱정하지 말아요. 암호 화폐 시장 이야기가 중요한 정책 의제도 아니고, 혹시나 하는 마음에 오늘 하루만 시간 내서 준비하는 거니까."

"이런 미팅을 자주 하시나요?"

"그럼요. 공부는 꼼수로 하면 안 돼요. 벼락치기도 곤란하고요. 토론회 한 번이면 들통이 나니까요."

미팅이 시작되기 직전, 정책 본부장은 간단한 안내를 했다.

"후보님을 좀 편하게 대하시면 좋아요. 긴장하지 마시고요."

"유력 대선 주자를 앞에 두고요?"

"네. 그래도 괜찮아요. 오늘은 스스로를 선생님이라고 생각하세요. 내용은 열여덟 살짜리도 이해할 수 있어야 해요. 어려운 용어를 쓰셔도 괜찮아요. 업계 용어를 익혀 두면 전문성이 있어 보여서 좋거든요. 하지만 그다음엔 반드시 자세한 설명을 해 주시고요."

유 후보는 약속 시간에 맞춰 도착했다. 목 끝까지 채운 단추에 넥타이, 푸르스름하게 깎은 수염, 다소 불편해 보이는 정장. 관 속에 사람을 구겨 넣은 느낌이었다. 안녕하세요 최 대표님, 하며 악수를 건네는 손이 찼다. 어딘가 날카롭고 거칠다는 느낌을 주는 인물이었다. 조급해 보이는 인상인데도 미소는 수백 번 지어 본 듯 그럴싸했다.

"코인으로 돈을 많이 버신 분이라면서요? 오늘

당신의 신은 얼마

들려주실 이야기가 뭐 코인판 조작하는 이야기라던데. 맞나요?"

유 후보가 물었다. 최닥을 대신해 대답한 이는 정책 본부장이었다.

"네. 여기 최 대표님이 직접 프로젝트를 진두지휘하신 분이라 들을 이야기가 많을 거예요."

"그런데 제가 이런 내용도 알아야 해요?"

"상대 진영에서 어떤 질문이 나올지 모르니까요. 관련 법 개정이나 대책 마련 같은 이야기를 할 수 있을 거예요. 암호 화폐 투자는 청년 세대 표심에 영향을 미치는 주제이기도 해서, 대응이 디테일할수록 주도권을 잡는 건 우리가 될 거고요."

"선대위에서 그래요? 그 사람들 뭘 제대로 알고 말하는 건지 모르겠다니까."

툭툭 뱉는 말투였다. 권력으로 사람을 살 수 있다고, 이 시간을 자신이 구매했다고 믿는 인간의 전형이겠지. 묘하게 불편한 분위기 속에서 최닥은 자세를 고쳐 앉았다. 돈은 내가 더 많아. 그런 생각을 해 봐도 좀체 유 후보 앞에서는 기를 펴기가 힘들었다. 무엇이 두 사람 사이의 차이를 만드는지, 이 야릇한 불균형은 어디서 기인한 것인지 알 수 없었다. 짧지 않은 대화를 통해 얻을 것이 있다면 그 질문에 대한 답일 거라고 최닥은 생각했다.

2. 391.8% = ₩19,437,540

부자 되는 법, 마흔에 은퇴하는 법, 절세하는 법, 주식 하는 법, 부동산 투자하는 법, 경매하는 법. 돈을 벌게 해 주겠다는 책들이 서점을 장악했다. 펄프 냄새가 사라지지 않은 그 비밀스러운 페이지들 틈새에 내 기회가 있을 것 같았다. 나는 닥치는 대로 책을 읽었다. 고수의 강의를 찾아 들었고 정보를 얻기 좋은 사이트에도 여럿 가입해 두었다.

가장 좋아하는 곳은 주식 투자 커뮤니티였다. 처음 게시판에 접속해 환하게 모니터를 밝히는 활자를 눈에 담던 순간을 평생 잊지 못할 것이다. 그곳은 서로가 날을 세워 논쟁하는 공간이었다. 확률의 싸움, 냉철한 분석, 상대의 수를 읽는 세밀함. 주식 투자는 일면 전쟁을 닮았다. 이슈를 주도하는 유명 아이디가 몇 개 있었고 회원들은 여러 분파로 나뉘어 그들을 추종했다. 가끔 분파끼리 충돌하며 논쟁을 벌이기도 했다.

나는 어느 세력에도 속하지 않은 방랑 무사였다. 가끔 투자 전략을 공유하며 게시판 활동을 했는데, 테마주가 내 전문 분야였다. 테마주를 이해하면 정보와 돈의 상관관계를 쉽게 파악할 수 있다. 전염병 확산 초기에 질병주에 투자한 사람들은 수익을 좀 냈을 것이다. 북한이 미사일을 쏘면 대북주를 노려야 한다. 떠오르는 차기 대권 주자가 있으면 타깃은 정치주다. 대권 주자에게 뇌물을 줘서 논란이 된 업체의 주가가 오히려 상승하는 것을 관찰하고 나면 세상을 좀 다른 눈으로 보게 될 것이다. 해외 자원, 전기 자동차, 연예 정보 정도는 꿰고 있어야 한다. 나는 해가 지나기 전에 팬데믹이 끝날 거라 생각했다. 그러니 여유 자금이 있다면 여행과 레저 쪽에 투자하는 편이 좋다고 봤다.

글을 게시한 지 몇 분 되지도 않아 반박 글이 올라왔다. 이런 깊이도 없는 글 올리면 게시판 수준이 낮아진다며, 방구석 제갈량 나셨다는 말을 들었다. 딱 보니까 서른 다 돼서 알바나 하고 계실 것 같은데. 제가 보기에 선생님은 그냥 초보예요. 선명해서 부끄러운 저격이었다. 얼굴이 빨개져 얼른 창을 닫았다. 불필요한 논쟁을 할 시간에 시장 조사를 하는 편이 나을 듯했다.

내 최근 관심사는 원유였다. 미국과 중동 여러 국가가 가세한 채굴 전쟁으로 원유 선물을 추종하는 ETF의 가격이 예년의 절반 수준으로 하락한 상태였다. 국가별 원유 매장량과 생산량을 열심히 계산해 지금 매수하면 세 달 안에 10퍼센트 수익은 낼 수 있겠다는 결론을 내렸다.

사람들은 이 쉬운 투자 전략을 수행하지 못했다. 노동으로 버는 돈만 가치 있는 것이라 생각하기 때문이었다. 힘들어 죽겠다며 곡소리를 내면서도 탈출할 생각은 하지 않는 것이다. 통계청 자료에 따르면 우리나라의 평균 근로시간은 연간 1900시간 정도로, 한때 2000시간을 넘겼지만 조금씩 줄어드는 추세다. OECD 국가 중 콜롬비아, 멕시코, 코스타리카에 이어 네 번째로 긴 근로시간을 기록 중이기는 하지만 잘 따져 보면 연 평균 1500시간을 일하는 스위스에 비해 겨우 400시간을 더 일하는 셈이다. 공휴일을 제외한 실제 영업일 수가 250일 정도 되니 하루에 1.6시간 더 일하는 것에 불과하다.

나는 하루 평균 열두 시간을 일했다. 아르바이트, 시장 분석, 경제 공부에 할애하는 시간을 모두 더한 결과다. 잠들기 전까지 쉬지 않고 자료를 모았다. 언젠가 찬란한 미래에 도달할 것임을 나는 굳게 믿었다.

아버지는 예순하나, 올해로 환갑이다. 비슷한 시기에 태어나 뭔가를 성취한 인물들을 보고 있으면 아버지에게 그동안 뭘 하신 거냐고 묻고 싶어진다. 탄력 없이 늘어진 살을 보고 있으면 내가 저 몸에서 나왔다는 게 믿기지 않는다. 아버지는 무릎이 늘어난 트레이닝복 속으로 손을 집어넣어 엉덩이를 북북 긁고 방귀를 뀐다. 기차처럼 씩씩거리며 숨을 쉰다.

아버지는 세 달 전부터 화물 운송 일을 시작했

다. 대리 기사였던 아버지의 일거리가 팬데믹이 터지고 확 줄어들더니 친구가 한번 알아보라고 제안한 일이었다. 화물 운송 자격증이 없어도 일을 할 수 있다는 말에 아버지는 덜컥 수천만 원짜리 차를 구매했다. 잘만 하면 한 달에 500만 원은 번다고 했지만 초반 벌이는 시원치 않았다. 아버지는 처음부터 일이 너무 많이 들어오면 그것도 피곤하다며 차라리 잘된 일이라고 했다.

아버지가 선풍기 앞에 쪼그려 앉은 나를 툭 밀었다. 나는 맥없이 넘어졌다.

"운동 좀 해라. 나중에 나 늙으면 어떡할 거냐. 할아버지가 돼서 말도 잘 못 하고 골골거리면. 치매라도 걸리면 어떡하려고 그래."

수도권에 있는 아파트 한 채라도 물려주시면 내 인생이 지금처럼 절망적이지는 않을 텐데요. 나는 말을 삼켰다. 아버지의 재산은 재개발만을 기다리고 있는 동네의 집 한 채가 전부다. 리모델링 한 번 없이 낡아 가기만 해서, 작년에는 예리와 내 방에 있는 방범창까지 떼어 내야 했다. 녹이 슬고 삭아서 제 기능을 할 수 없는 상태였다. 침대에 누워 뻥 뚫린 풍경을 볼 수 있다는 것 하나는 좋았다. 가끔 화장실에 가기 귀찮을 때면 창문을 열고 화단에 볼일을 봤다. 달을 보면서 차가운 공기에 아랫도리를 내놓는 기분을 나는 좋아했다.

예리가 회사 일을 마치고 돌아왔다. 작은 구두를 신발장에 넣고 아버지와 내 운동화는 한쪽 구석에 가지런히 정리했다.

"예리 왔니."

아버지가 말하는데 예리는 대꾸도 없이 방문을 쾅 닫았다. 닫히는 문틈으로 남이사 뭘 하든, 하고 중얼거리는 소리를 들은 것 같았다. 아버지는 시큰둥하게 몸을 일으켰다. 배에서 꼬르륵 소리가 났다.

"밥이나 먹자."
"시켜 먹어요?"
"그래."

배달 앱을 열었다. 한참을 고민해 보지만 우리가 선택하는 곳은 언제나 중국집이었다. 아버지는 뭘 먹을지 물어볼 필요도 없이 볶음밥을 고를 것이다. 내 몫으로 짬뽕과 함께 술도 주문했다. 고량주를 마시고 싶었다. 예리에게는 짜장면 시킬 건데 괜찮겠냐고 물었다. 예리는 방문을 한 번 쾅 찼다. 좋다는 뜻이었다.

바닥에 신문을 깔고 있으니 아버지가 정치 이야기를 시작했다. 아버지는 언제나 욕할 대상을 찾아 벌건 눈으로 사방을 두리번거렸는데 신문 정치면은 아버지의 분노를 발동시킬 기사로 가득했다. 아버지는 지지하는 진영을 밝힌 적이 없었다. 애초에 노선이 없는 건지도 모른다. 대개 과격한 어조로 모두를 욕했다. 식사 시간을 관통해 이어지는 비난은 하나의 결론으로 이어졌다.

"이 동네 재개발해 주는 사람 찍을 거다."

음식이 도착했다. 예리와 아버지가 비닐을 벗기는 동안 나는 별점을 줬다. 배달은 빨랐는지, 양은 적당한지, 맵기가 지나치지 않은지, 요청 사항은 충실히 반영되었는지, 거만한 심사 위원이 된 듯한 표정으로 채점을 했다. 아버지는 밥 한 술에 술 한 잔을 곁들였다. 취기가 오르자 잔소리를 시작했다. 또 취업 이야기였다. 나는 대꾸하기 싫어서 술만 마셨다. 술을 마시고 난 뒤의 나는 아버지를 닮았다. 아버지처럼 지저분하고 판단력이 흐리고 위아래를 모르는 인간이 됐다.

"그렇게 많이 마시면 토한다."
"토 안 해요."
"하면 혼난다."

그럴 일은 없을 거라고 장담을 했는데 10분도 지나지 않아 토기가 올라왔다. 화장실로 달려갔지만 문지방을 넘기 전에 짬뽕을 토했다. 콧구멍으로 면이 빠져나온 탓에 재채기가 터졌다. 이놈이. 아버지가 손을 치켜들었다. 아버지가 뒤통수를 후려치기 전에 몸을 낮춰 피했다. 예리가 등을 떠밀었다. 나는 방으로 들어가 문을 잠갔다. 입에서 쉰내가 났다.

끈적한 더위에 잠에서 깼을 때는 해가 밝은 뒤였다. 아버지와 마주치는 것이 껄끄러워 화단에 오줌을 쌌다. 흙 위로 보글보글 거품이 일었다. 벌레들이 이때구나 하며 방충망이 사라진 자리로 잘도 드나들었다. 한참 후에도 집이 조용한 것 같아 거실로 나가 보니 다들 출근을 해서 보이지 않았다. 배가 고팠다. 냉장고도 지갑도 텅 비어 있었다. 며칠 전에 예리가 회사에서 상품권을 받아 왔다는 게 생각 나서 찾아보니 책상 위에 조심성 없이 놓여 있었다. 10만 원어치 정도 됐는데 다 가져가는 건 좀 미안해서 반만 챙겼다. 점심으로 백화점 초밥을 사 먹었다.

에어컨 바람이 쏟아지는 푸드 코트에 앉아 휴대폰을 봤다. 출근 전까지 시간이 좀 있었다. 포털 사이트에 올라오는 수많은 기사 중에서 몰락한 사람들의 이야기만 찾아 읽었다. 투자 실패, 사고, 사기 같은 키워드로 검색했다. 나락으로 떨어진 사람들의 이야기를 보면 마음이 편해졌다. 큰 손해를 본 사람들, 사고로 몸이 마비된 사람들, 가족을 잃고 실의에 빠진 사람들의 실패담을 읽고 있으면 아직 내가 사는 세상은 살 만하다는 생각이 들었다.

*

당신의 신은 얼마

유 후보는 병풍처럼 앉아 있었고 질문을 하는 사람은 정책 본부장이었다. 앞에는 노트북이 놓여 있었는데 그 화면에 뭐가 떠 있을지 궁금했다.

"암호 화폐에 처음 관심을 가진 게 언제였어요?"

정책 본부장이 물었다. 최닥은 기억을 더듬었다. 코인이 인기라는 소문이야 몇 년 전부터 여러 차례 들었지만 어쩐지 다 흰소리 같고 복잡하게 느껴져서 무시하던 차였다. 제대로 관심을 갖게 된 건 역시 양 이사 덕인 듯했다.

"만나는 친구들이 있어요. 고등학교 동창들인데 같이 지방에서 서울로 올라온 사이라 좀 끈끈한 면이 있죠. 변호사도 있고 기자도 있고, 아무튼 세상일에 관심이 많은 녀석들이에요."
"능력 있는 분들이네요. 역시 끼리끼리 모이는 거겠죠? 그런 친구들과는 보통 어디서 만나요?"

골프장, 룸살롱, 사무실. 굳이 장소를 가려 만나지는 않았지만 개중 떠오르는 곳이 있었다.

"글쎄요…. 노래방이려나. 처음 코인 시장에 대해 알게 된 게 그 자리였어요. 양 이사라고 오랜만에 보는 동생이 동석했는데 암호 화폐 거래소에서 일을 하는 친구였거든요."
"그 친구가 무슨 얘기를 하던가요?"
"법을 어기지 않고서도 다른 사람의 돈을 빨아

먹을 방법이 있다고 했죠. 몇백 몇천이 아니라 억 단위로요."

정책 본부장과 유 후보가 동시에 웃음을 터뜨렸다. 최닥은 계속해서 말했다.

"제가 들려 드릴 이야기가 도덕적으로 옳은 건 아니에요. 그렇다고 불법은 아니고요. 이 암호 화폐 시장이라는 게 정부가 규제할 수 있는 바닥이 아니거든요. 생각해 보세요. 한국 같은 나라에서 코인 친화 정책을 편다? 전 세계에서 몰려와서 법인 세우고, 코인 발행하고, 거래소 세우겠죠. 컨트롤이 불가능해져요. 스위스, 싱가포르, 몰타 같은 곳이 그렇게 돼 버렸고요. 정부도 어떻게 할 수 없는 시장이라는 거예요."

다른 사람의 것보다 조금 더 빠르게 흐르는 시계를 차고 있는 듯, 팔짱을 낀 유 후보의 손목에서 시계 초침이 움직이는 소리가 요란했다. 유 후보는 어서 이야기를 시작하라 재촉했다.

어떤 노래방은 빌딩 꼭대기 층에 있다. 널찍한 홀을 중심으로 나 있는 미로 같은 길을 따라가면 가장 은밀한 구석에서 하나씩 방이 나온다. 홀에는 칵테일 바가 있고 필요할 때 도와줄 웨이터가 상시 대기 중이다. 간판도 없는 그 가게는 보통 업계 사람들이 알음알음 소개를 받아 찾아가는 곳이었다.

투자처를 잘못 선택한 날이었다. 장 마감을 30분 앞두고 로스 컷을 했는데 그러지 않았으면 더 많은 돈을 날릴 뻔했다. 손실에 대한 상실감보다 제대로 된 예측을 하지 못했다는 자괴감이 컸다. 미리 입수한 정보, 시장의 흐름, 정부의 개입, 모든 것이 완벽하게 예상한 대로 흘러가고 있다고 생각했다. 예측하지 못한 부분은 개미들의 움직임이었다. 대중을 쉽게 재단하려 했던 것이 패착이었다.

20대 초반으로 보이는 남녀 한 쌍이 조명과 음향 세팅을 하러 들어왔다. 노래 선곡을 도와주고, 준비된 노래가 없으면 직접 노래를 부르거나 춤을 추면서 분위기를 띄우기도 하는 도우미였다. 최닥은 노래할 기분이 아니니 나가 달라고 했다.

"무슨 일 있어?"

일간지의 경제부 기자로 일하는 박프로가 물었다. 로펌 변호사인 유변은 방을 떠나는 도우미의 뒷모습을 물끄러미 바라보다 아쉬운 표정을 지었다.

친구들은 서로를 최닥, 박프로, 유변이라는 별명으로 칭했다. 편의상 그렇게 부르는 거라고들 했지만 그 호칭에는 분명 서로를 추켜세움으로써 돌아오는 주위의 환대, 존경, 찬탄, 부러움을 의식한 측면이 있었다.

최닥은 양주를 따랐다. 취기가 뜨끈하게 오른 뒤

에 투자 손실을 본 이야기를 꺼냈다. 통제할 수 없는 시장, 언제 몰락할지 모른다는 두려움에 대해 말했다. 지금껏 쌓아 올린 것이 허상이 되어 버릴 수도 있다 생각하면 불안이 멈추지 않았다. 암호화폐 거래소 서비스 업체인 플랫업에서 일한다는 양 이사가 자리를 옮겨 옆에 앉았다. 영업직으로 시작해 이사 자리까지 오른 인물이었다. 다른 친구들보다 나이가 두 살 적었는데 말은 좀 편하게 해도 될 것을 형님 호칭까지 붙여 가며 깍듯하게 존댓말을 썼다. 포마드 바른 머리를 깔끔하게 뒤로 넘기고 반듯하게 다린 폴로 티셔츠 차림을 하고 있어 30대 중반으로밖에 보이지 않았다. 최근 회사 설립을 앞두고 투자자를 찾는다더니 돌고 돌아 최 닥 차례가 된 모양이었다. 능글맞게 다가오는 모습이 밉지는 않았다.

"왜. 이제 내 차례냐? 투자자가 안 모여?"
"형님이 도와주시면 저 정말 잘할 수 있어요."
"계획을 가져와야 내가 검토를 하지."

옆에서 대화를 듣던 박프로가 술을 따르며 거들었다.

"양 이사 너 잘 생각해야 된다. 최닥 얘는 어렸을 때부터 아무리 안전해 보이는 일도 납득을 못 하면 안 했어. 그런데 위험해 보여도 되겠다 싶은 데는 뛰어든다니까. 그러니까 필요한 게 있으면 설득할 생각부터 해. 정으로 읍소하지 말고 숫자를 가져와. 논리로 얘기해야지."

"박프로 말이 맞아. 내가 아는 게 뭐 있다고 투자를 해. 암호 화폐니 체인 블록이니 그런 거 아무것도 몰라."

"블록체인은 기술이고 암호 화폐는 상품이에요. 중요한 건, 대한민국에 규제가 없는 도박 시장이 열렸다는 거예요."

"양 이사 너 좀 나와 봐. 내가 최닥이랑 얘기해 볼게."

유변이 나섰다. 돋보기 안경을 코에 걸치고 카랑카랑한 목소리로 얘기하는 유변은 어려서부터 수재 소리를 듣던 친구였다. 한국에서 공부하기 싫다며 고등학교 1학년 때 캐나다로 유학을 가더니 그것도 지겹다며 국내 법대에 편입해서는 2년 뒤 사법고시에 합격한 인물이었다. 유변이 손가락을 하나씩 접으며 말했다.

"우리나라에서 합법적으로 운영되는 사행 산업이 딱 일곱 개야. 카지노, 복권, 소싸움, 스포츠토토, 경마, 경륜, 경정. 여기서 나오는 매출액이 22조야. GDP 기준으로 1퍼센트나 되는 규모라고. 이게 무슨 의미인지 알아?"

"글쎄."

"사람들이 도박을 겁나게 좋아한다는 거지."

유변이 편을 들어 주니 양 이사는 신이 났다.

"데이터가 하나 더 있어요. 로또랑 토토는 산업 규모가 커지는데 경륜, 경정, 경마는 매출이 줄었어요."

"그건 무슨 뜻인데."

"사람들이 편한 걸 찾는다는 거죠. 복권은 편의점만 가도 살 수 있잖아요. 그러니 새로 생긴 도박 시장이 휴대폰으로 참가할 수 있는 곳이라면 얼마나 많은 사람들이 몰릴까요? 게다가 합법이라면?"

"하겠지. 근데 그게 코인이라고?"

"네. 저는 여기서 큰돈을 벌 수 있을 거라고 봐요. 도움이 좀 필요하지만요."

"오르리라는 보장이 없잖아."

양 이사의 눈빛이 달라진 것이 이 시점이었다. 어쩐지 노래방 조명도, 기온도 훅 낮아진 듯했다.

"그렇지 않아요, 형님. 예전에 주가조작으로 유명했던 루보라고 아시죠?"

"내가 루보 사태를 모르겠니."

"바로 그거예요. 코인도 조작이 돼요. 불법이 아니고요."

최담의 눈이 유변을 향했다. 정말이냐고 묻는 시선이었다.

당신의 신은 얼마

"문제는 없어."

유변은 어깨를 으쓱했다.

"시세 조종을 해도 되고 허위 공시를 해도 문제 없어. 코인 시장에선 불법이 아니지. 보는 눈이 많으니 대놓고 말할 수는 없는 일이지만, 잡혀가지는 않아."

"그런데 왜 다들 이걸 안 해? 왜 사람들이 몰라?"

"이런 생각을 아무나 할 수 있는 건 아니니까요. 안다고 해도 실행력이 없고요. 이런 생각을 할 수 있고 실행력도 있는 사람들은 이미 시작했어요."

"그래서 뭘 하면 되는데?"

"할 거 많아요. 회사도 만들고, 코인도 만들고, 사람도 모으고요. 관심 있으시면 투자 설명회 한 번 열까요?"

"그러지 말고, 우리 집에서 한번 보자."

유 후보는 테이블에 올린 팔에 체중을 실었다. 기울인 몸이 가까이 다가왔다.

"그렇게 회사를 설립하고, 코인을 만드신 거네요."

"네. 래더코인요. 양 이사가 준비를 했고 저는 돈을 댔고요. 때마침 적절한 인물을 만난 거죠."

유 후보의 갈색 눈동자가 스위치처럼 좌우를 딸 깍이며 오갔다.

"맞아요. 돈은 사람이 몰고 들어오는 법이니까요. 주위에 좋은 사람을 두는 게 돈을 벌기 위한 첫 번째 조건이지요."

유 후보는 계속 말해 보라는 제스처를 취했다. 조바심 가득한 손짓은 여전했다.

3. 607.2% = ₩30,126,360

현기는 2년 전 고급 빌라를 털었다. 추석 연휴가 끝나고 주말을 앞둔 평일이었다. 부동산 중개인과 서초, 강남 일대 매물을 답사하기로 한 현기는 자신이 무해하고 부유한 인간이라는 걸 강조하기 위해 수트 한 벌을 구입했다. 동대문에서 20만 원을 줬는데 결국 그 100배는 되는 값의 금품을 훔쳤으니 수트가 값은 제대로 한 셈이었다.

중개인과 함께 고급 빌라 안으로 들어섰다. 현기의 시선이 가장 먼저 꽂힌 곳은 욕실이었다. 물때 한 점 없이 매끈한 욕조 위로 수전이 우아한 곡선을 그리며 뻗어 있었다. 퀴퀴한 분뇨의 잔향 대신 디퓨저가 뿜어내는 향이 현기를 맞이했다. 차량용 방향제의 가짜 꽃향기 따위가 아니라 진짜 나무와 풀을 닮은 냄새가 어퍼컷을 날리듯 돌진하는 바람에 현기는 그 자리에 잠시 눈을 감고 서 있었다.

"이런 집에는 누가 살아요?"

"바깥양반이 전에 치과 의사였대요."

"지금은요?"

"글쎄요. 집에서 무슨 투자를 한다는 것 같던데."

중개인이 말했다. 거실 구석에 골프채와 퍼팅 연습기가 놓여 있었다.

"집주인은 없나 봐요?"

"여행 갔어요. 칸쿤이라고 알아요? 멕시코에 있는 곳인데."

"그럼요. 저도 작년에 다녀왔어요."

현기는 그날 저녁 다시 빌라를 찾았다. 중개인이 누른 비밀번호를 힐끗 훔쳐봤던 덕에 손쉽게 집 안으로 들어갈 수 있었다. 신발을 벗어 놓은 뒤 장갑을 꼈다. 거실, 침실, 마스터 룸, 서브 룸 두 곳을 차례로 뒤졌다. 제대로 한몫을 챙긴 건 드레스 룸에서였다. 액세서리 함 아래에 좋아 보이는 시계가 있었다. 손에 잡히는 것들을 주머니에 집어넣고 술 진열장에서 제일 좋아 보이는 양주 한 병도 챙겼다. 마스터 룸 책상에는 커다란 모니터가 네 개나 됐다. 게임을 하는 것도 아닐 텐데 이렇게 많은 모니터가 필요한 일이 뭔지 궁금했다. 마우스를 툭 건드리자 화면이 밝아졌다. 오른쪽 아래, 마지막 모니터에 '월간 총 수익'이라는 제목이 붙은 장표가 보였다. 현기는 뒤에서부터 천천히 자릿수를 셌다. 일 십 백 천 만… 천만, 억.

투자를 한다더니 주식을 하는 인간이구나 싶었다. 책상 위 자료가 눈에 들어왔다. '래더코인 ICO 전략'이라는 제목의 얇은 폴더였다. 잘은 몰라도 래더코인이라는 걸로 뭔가를 한다는 것 같았다. 돈 냄새가 희미하게 풍기는 듯해서, 현기는 옆에 놓인 출력물을 백팩에 집어넣었다.

주머니에는 현금이 두둑했고 냉장고에서 꺼내 먹은 과일 덕에 배도 든든했다. 뭔가 재미있는 걸 하고 싶었던 현기는 빌라 몇 채를 더 털었다. 훔친 현금에 패물을 팔아 받은 돈을 더해 휴대폰을 사고 중고차를 구입했다. 훔친 돈의 대부분을 노는 데 써 버린 현기는 마지막 현금 뭉치 하나가 남았을 때 내게 전화를 걸었다.

"정환아. 코인이 뭐 하는 거냐."

우리가 만난 곳은 동네 공원에 딸린 놀이터였다. 늦저녁이라 게이트볼을 치는 노인들과 아이들을 데리고 바람을 쐬러 나온 주민들만 간간이 보였다. 놀이터 입구에는 현기가 타고 온 노란색 스포츠카가 서 있었다.

"코인은 암호 화폐야."
"응. 그래. 암호 화폐."

현기는 계속 설명해 보라고 했다. 마사지를 해

주겠다며 어깨를 꾹꾹 눌렀다. 아팠지만 아무렇지 않은 척했다.

"블록체인 기술을 이용한 건데, 암호가 걸린 화폐라서 암호 화폐라고 불러. 디지털로 가상 세계에 존재하는 화폐니까 가상 화폐라고도 하고."

"야, 이 씨. 어려운 말 쓰지 말고. 됐고, 이것 좀 봐 줘."

현기는 빌라에서 훔쳐 온 자료를 건넸다. 나는 손에 닿는 대로 페이지를 넘겼다. 이해가 가지 않는 말이 많았다. 좀 복잡한 내용인 데다 전문용어도 많이 쓰여 있었다.

"그 집 주인이 옛날에 의사였다가 지금은 주식 투자 하나 봐. 그런데 돈이 엄청 많더라고. 그런 사람이 코인 갖고 뭔가 하려는 거지. 냄새 안 나냐?"

"투자하려고?"

"어떨까 해서 너한테 물어보는 거지."

"요즘 좀 시끄럽긴 한데… 나는 코인 안 믿어."

"왜?"

"폰지 사기 같거든."

"아까부터 새끼가 진짜. 쉽게 얘기 안 할래?"

"미안."

현기가 때리는 시늉을 했을 뿐인데도 어깨가 움츠러들었다. 나는 두툼한 안경을 올려 쓰고 설명을 이었다.

"코인은 실체가 없는 화폐잖아. 눈에 보이는 게 아니야. 물론 주식도 마찬가지지만…. 통장에 넣은 돈도 눈에 안 보이긴 하는데, 그러니까 금이나 다이아몬드 같은 게 아니라서 좀 달라. 회사는 물건을 만드는데 코인은 그냥 돈이라서…. 이게 설명하기가 좀 어려운데…."

말이 꼬였다. 투자자들을 모으고 코인 가치를 상승시킨 뒤에 고점에서 팔고 나오는 전략이 얼마나 허무맹랑한지. 가치를 만들어 내지 않는 허상에 가격을 부여하고 달려드는 것이 얼마나 위험한 일인지. 조만간 정부에서 규제를 할 것이 뻔해 보이는데다 코인판이 무너지고 나면 다시 활황 추세를 보이는 건 주식이 될 거라는 이야기를, 어떻게 현기에게 전할까.

"아무튼 내가 계산을 해 봤는데, 암호 화폐 가치는 계속해서 오르기가 힘들어."

나는 급하게 말을 마무리 지었다.

"넌 그런 걸 어떻게 아냐? 수학이야? 계산하려고 하면 계산이 돼?"
"공부를 많이 해야지…."
"대학에서 배워서 그런가. 경제학과였지?"

통계학과였다. 학비를 고려해 들어간 대학교였

당신의 신은 얼마

고 점수에 맞춰 선택한 학과였다. 졸업 당시 학점
은 평균 3점을 겨우 넘겼는데 내 노력보다는 경쟁
자들이 나태했던 덕이 컸다.

"정환이 네 말대로 코인이 그렇게 전망이 없는 거
라고 쳐. 그런데 사람들이 왜 이렇게 많이 하냐?"

"사람들이 다 속는 거야."

"가격이 계속 오르고 있다던데?"

"곧 떨어질 거야."

"언제?"

"그건 모르지만…."

"아 진짜… 됐어. 나 이거 해 볼래. 투자하는 것
좀 도와줘."

말려 봐야 들을 것 같지가 않았다. 나는 현기가
훔쳐 온 자료를 덮고 물었다.

"방법만 알려 주면 돼?"

"응. 그런데 투자는 네 이름으로 해야겠어. 훔친
돈을 내 계좌에 넣을 수는 없어서. 대신 네 몫으
로 10퍼센트 떼 줄게."

현기는 주머니에서 꺼낸 현금 다발을 내놓았다.
5만 원짜리 한 뭉치였다.

"네 통장에 넣고 와. 그런 다음에 코인 사는 거
보여 줘. 우리가 같이 관리하는 거야."

이대로 돈을 들고 도망이라도 치면 어떡하려는

걸까 싶었지만, 현기는 내가 그럴 수 있는 위인이라고는 조금도 믿지 않는 눈치였다. 나도 그러고 싶지는 않았다. 현기의 선한 눈빛에 독기가 어리는 걸, 원치 않았다. 나는 얌전히 ATM기로 가서 돈을 집어넣었다.

소개 자료에 나와 있던 플랫업이라는 앱을 설치하고 가입 절차를 밟았다. 현기는 개인 정보를 입력하고 아이디를 생성하는 단계를 가만히 지켜보고 있다가 비밀번호를 입력할 차례가 되자 내 손목을 쥐었다. 가느다란 뼈가 부러질 듯 아팠다.

"잠깐. 비밀번호를 네가 입력하면 안 되지."
"그럼 네가 넣을래?"
"나 그렇게 의리 없는 인간은 아니야. 네 지분도 있으니까, 반반씩 넣어."

비밀번호는 최소 열 글자가 돼야 했다. 현기가 먼저 앞부분을 입력하고 내가 뒷부분을 입력했다. 비밀번호를 확인해 달라는 창이 떴고, 다시 현기가 앞부분을 입력한 뒤 내가 뒷부분을 채워 넣었다.

가입 절차를 마치자 플랫업은 계정에 종속된 전용 가상 계좌를 생성했다. 그곳에 입금된 금액으로 암호 화폐를 구매하는 방식이었다. 실시간으로 내 계좌에서 돈이 빠져나가는 것이 아니라 카지노에서처럼 칩을 받아 게임을 즐긴 뒤 카운터에서 현금화를 하는 구조였다. 나는 계좌에 500만 원을 송금했다.

"다 됐어. 어떤 코인에 투자하고 싶어?"

"종류가 많아?"

현기는 작은 눈을 꿈뻑거렸다. 나는 화면에 떠 있는 수백 종의 암호 화폐를 보여 주며 말했다.

"원화만 돈이 아니라 달러가 있고 엔화가 있고 유로가 있잖아. 코인도 그래. 비트코인도 있고 이더리움도 있어."

머리를 벅벅 긁던 현기는 들고 있던 소개 자료를 흔들었다.

"이거 사지 뭐. 래더코인."

"아…. 현기야, 이런 거 사면 안 돼. 나중에 상장 폐지 당할 수도 있어."

현기의 고민은 길지 않았다. 애초에 고민이라는 단계가 머릿속에 없는 것 같았다. 에라, 하며 매수 버튼을 누르는 현기를 나는 어쩔 수 없이 내버려 뒀다.

"복잡한 거 몰라 나는. 끝났지? 날도 좋은데 술 한잔해."

현기는 차에서 양주를 꺼내 왔다. 옆을 지나던 고등학생 무리가 우리를 쳐다봤다. 현기는 잠깐 눈이 마주친 걸 가지고 싸가지 없는 것들이 재수 없게 야린다며 위협적으로 중얼거렸다. 학생들이 멀어질 때까지 현기는 눈을 돌리지 않았다. 현기의 머리카락은 갈색으로 그을려 있었다. 크고 작은 흉터 자국은 얼룩무늬처럼 팔을 뒤덮고 있었다. 긁히고 베이고, 여드름을 짜고 딱지를 뜯어서 생긴 흉이었다.

"이거, 이레즈미로 싹 덮을 거야. 몇백 든대. 그러려면 돈을 벌어야지. 사람이 계속 쓰기만 하면 안 되는 거더라고. 투자를 해야지. 투자 좋지 않냐? 잃으면 투자한 만큼만 손해를 보는데 따면 무한대로 벌 수 있잖아."

도박도 그렇지. 잠깐이지만 손에 쥐고 있었던 500만 원이 생각났다. 이 녀석에게는 그 큰돈이 아무 의미가 없을까.

"야 정환아. 나는 돈 벌면 한강에 요트 띄울 거다. 전에 영화 보니까 외국인들은 그러고 놀더라고. 무슨 여행 프로 보니까 동남아 어느 나라에서는 카누 타고 가다가 마음에 드는 곳에서 춤추고 술 마시다 다시 떠내려가고 그런다면서. 한강에도 그런 거 있으면 좋지 않겠냐. 배 하나씩 갖고 나와서 놀다가 마음 맞는 사람들 있으면 같이 술 마시고, 그러다 또 갈라지고. 그러다 동해까지 가고."
"한강에서 동해까지 못 갈걸."

당신의 신은 얼마

"왜?"

"댐으로 막혀 있어서."

"돈 벌면 댐부터 허물어야겠네."

"그러려면 부자가 아니라 대통령이 돼야지."

현기는 뭐가 웃긴지 깔깔거리며 내 등을 때렸다.
그러다 문득 생각났다며 말했다.

"그래, 맞다. 나는 칸쿤에 갈 거다."

"멕시코?"

"칸쿤이 멕시코야? 어쨌든."

현기는 그 후로 한참 동안 여행 이야기를 했다.
나는 여행이라는 행위 자체를 이해하지 못했다. 영
화, 공연, 음악, 전시회, 모든 문화생활이 내게는 시
간 낭비였다. 꼭 봐야 하는 영화나 드라마가 있다
면 줄거리만 파악했다. 여행은 다큐멘터리를 보는
것으로 충분했다. 연애는 리얼리티 프로그램 시청
으로 대신했고 식도락은 먹방을 보는 것으로 갈음
했다. 내게 필요한 건 감각을 충족하고 경험을 쌓
는 행위가 아니라 어떤 테마주에 투자하는 것이 좋
을지 판단하기 위한 정보를 확보하는 일이었다.

현기의 한쪽 어깨에 가로등 불빛이 쏟아졌다. 레
슬링 선수를 연상시키는 덩치는 여전했다. 현기는
거대한 욕망으로 움직이는 엔진 같아 보였다. 우리
는 계속해서 술을 마셨다. 알싸한 취기가 사라지지

않았으면 했다.

"나 그만 가야 돼."

"좀 더 놀자. 집까지 태워 줄게."

현기가 양주병을 기울여 마지막 한 방울을 혀에 올려놓는데 누군가 옆에 다가왔다. 조금 전 면박을 당한 고등학생들인가 싶었다. 현기와 있으면 괜한 다툼에 휘말리는 일이 많았다. 하지만 눈에 들어온 건 교복 바지가 아니었다. 스판 소재의 면바지에 싸구려 정장 벨트, 통기성 좋은 등산용 티셔츠 차림의 남자 둘이 우리를 내려다보고 있었다. 형사구나. 누가 말해 주지 않아도 알 수 있었다.

"현기 씨? 송현기 씨?"

좀 더 덩치가 큰 쪽이 말했다. 현기는 게슴츠레 눈을 치켜떴다. 취한 동공이 빠르게 흔들렸다. 천천히 일어나는 손에 양주병이 쥐어져 있었다. 단단하고 묵직한 유리병이 가로등 불빛에 반짝였다. 붕붕 소리를 내며 허공을 가르는 유리병을, 형사들은 가벼운 몸놀림으로 피했다. 현기는 빈틈을 노려 달아나기 시작했다. 그네와 시소를, 미끄럼틀과 정글짐을 차례로 지나 근처 편의점 쪽으로 뛰었다. 퇴로에 포진하고 있던 형사들이 골목마다 모습을 드러냈다. 뭔가 깨지는 소리, 부서지고 망가지는 소리가 나면서 형사들과 현기가 뒤엉켰다. 육박전이

당신의 신은 얼마

벌어지고 고함이 오갔다. 쫓아가 보니 현기는 형사 두 명에게 깔려 버둥거리고 있었다.

호송차에 실려 가던 순간까지도 현기는 발악을 했다. 밤하늘이 찢어져라 질러 대는 고함은 무슨 말인지 알아듣기 힘들었다. 그러고 있으면 형량이 줄어들 거라고 믿기라도 하는 것 같았다. 하지만 현기는 2년 형을 선고받았다. 죄목은 특가법상 상습절도였고 법원은 반복되는 범죄에 너그럽지 않았다.

2년. 우리가 강제로 코인을 인출할 수 없었던 기간이었다. 투자 당시 래더코인 하나가 57원, 투자금은 500만 원이었다. 8만 7000개의 코인이 2년간 계좌에 잠들어 있었다. 500만 원이었던 투자금은 코인의 가치가 600퍼센트 넘게 상승해 이제 3000만 원이 됐다. 둘로 나누면 1500만 원씩이다. 1년에 750만 원을 벌었으니 한 달에 대략 60만 원 득을 본 셈이다. 암호 화폐 시세의 상승률은 이미 그 시점에서 내 예상을 벗어나 있었다. 이쯤 되면 인정해야 했다. 모래성처럼 몰락할 줄 알았던 것이 끈질기게 살아남았음을. 운 좋게 현기의 직감이 맞아 들어갔음을.

반성하는 차원에서 암호 화폐 공부를 좀 했다. 처음엔 외워야 할 것들이 많았는데, 이제는 이해가 늘었다. 나는 얼마 지나지 않아 코인 시장에 영향을 미치는 요소들을 중요 순서대로 열거할 수 있게 되었다. 그 리스트의 각 요소와 향후 전망을 수치화해서 코인 가격의 등락폭을 계산하는 수식에 대입했다. 결과는 암담했다. 계산대로라면 현기가 투자한 금액이 1억이 될 일은 없다. 기껏해야 5000, 운이 좋으면 7000이다. 바보 같은 래더코인이니까. 커뮤니티에서 활동하는 사람들도 나와 의견이 같았다. 추동 세력이 등장하기 힘들 거라고들 했다. 누군가 그린 추세선 그래프는 지렁이처럼 꿈틀거렸고 내리고 오르기를 반복하다가 결국은 조금씩 하락했다. 오르는 폭보다는 떨어지는 폭이 더 컸다. 그렇게 현기의 세계에서 멀어질 수 있음에 나는 안도했다.

지금이라도 다른 코인에 돈을 넣어 볼까 하는 생각도 들었지만 실행에 옮길 수는 없었다. 아직은 공부가 충분하지 못했다. 늦은 시점에 합류했다가 남들 배만 불려 주는 역할을 하고 싶지는 않았다. 변동성이 큰 고위험 시장이라고들 했다. 이미 오를 만큼 오른 거라는 전망도 있었다. 행운이 내 인생에 찾아올 거라는 생각을 해서는 안 된다. 기대가 없어야 실망도 없다. 다만 미리 보고 들어간 사람들은 좋겠구나 싶었다. 젊은 나이에 억억 소리 나는 돈을 통장에 굴리고 있겠구나. 그런 생각을 할 때면 입이 썼다.

당신의 신은 얼마

2년 전, 최닥은 부부 동반으로 일주일간 칸쿤 여행을 다녀왔다. 집에는 도둑이 들었다.

영악한 놈이었다. 문을 따지도 않았고 가스 배관을 이용하지도 않았다. 옥상에는 사람이 드나든 흔적조차 없었고 창문이 열려 있던 것도 아니었다. 저녁 7시, 도둑은 집주인인 양 대담하게 비밀번호를 누르고 들어와 현관에 신발을 벗어 놓은 뒤 거실, 침실, 마스터 룸, 서브 룸 두 곳을 차례로 뒤졌다. 잘 쓰지 않는 시계와 반지만 가져가는 바람에 도둑이 들었다는 사실을 일주일 뒤에야 알아차렸다.

사라진 건 위블로 시계였는데 최닥은 도둑이 그 브랜드를 알고 훔쳐 갔을지 궁금했다. 4000만 원짜리인데. 그런 건 쉽게 팔지도 못할 텐데. 어떻게 도둑을 맞았는지보다 도둑이 훔친 물건을 얼마에 팔아 치울지가 의문이었다. 허탈한 마음으로 돌아서니 술 진열장에는 양주 한 병이 이가 빠진 것처럼 사라져 있었다.

부동산에 집을 내놓고 여행을 간 것이 화근이었다. 아내는 단단히 화가 났다. 차분한 척하면서도 속으로는 발을 동동 구르고 있을 터였다. 돈이 아까워서가 아니었다.

"그러니까 집에 사람 없을 때는 부동산에서 함부로 들어오지 못하게 하자고 그랬잖아."

여행을 떠나기 전 아내는 부동산 업자가 데리고 오는 사람들을 믿을 수 없다고 했다. 최담은 이런 고급 빌라는 아무한테나 보여 주는 게 아니라며, 설마 무슨 일 있겠냐 대답했었다. 신고한 날 저녁에는 경찰이 다녀갔다. 주위에 도둑맞은 집들이 한둘이 아니라고 투덜거리며, 형사는 뻔한 질문을 던졌다. 이상하게도 아무런 분노가 느껴지지 않았다. 다만 땀에 절은 발들이 대리석 바닥에 남긴 자국이 불편했다. 형사는 바로 수사를 시작할 거라고 했다.

양 이사의 계획이 구체화된 건 노래방 회동이 있은 지 몇 주가 지난 후의 일이었다. 주말의 컨트리 클럽 모임에서 간단한 내용을 들을 수 있었다. 바람이 부는데도 해가 뜨거웠다. 최담은 기능성 웨어로 팔과 목을 가리고 선글라스를 눌러썼다.

"MM을 활용할 거예요."
"마켓 메이커? 그거 주식 용어 아냐?"

유변이 물었다. 양 이사는 고개를 저었다.

"마켓 메이커는 맞는데 코인 시장에서는 좀 다른 의미로 써요. 세력이라고 생각하면 편해요. 그렇게 어려운 개념은 아니고요. 뭐 광고나 마케

당신의 신은 얼마

팅 같은 걸 하는 사람들이에요."

양 이사를 제외한 나머지는 모두 파 이상을 기록
중이었다. 양 이사만 버디로 이전 홀을 끝냈다. 이
번 홀에서도 일찌감치 핀에 공을 붙여 놓은 터라
여유가 넘쳤다. 불과 두 살 어린데도 최닥과 달리
허리가 싱싱했다. 어떻게 군살 하나 없을까. 몸매
관리를 어떻게 하는지가 궁금했다. 출근 전에 꼭
헬스장을 들르겠지. 마사지도 받고, 의술의 도움도
받을 것이다. 언뜻 드러나는 속살에 골고루 태닝이
돼 있어 모래를 딛고 약동하는 낙타 같아 보였다.

최닥 차례였다. 벙커를 살짝 벗어난 곳에 공이
놓였다. 두 발을 모래에 박아 놓고 자세를 잡았다.
최근 들어 부쩍 나오기 시작한 아랫배가 부담스러
웠다. 홀은 여전히 멀었다. 양 이사는 좀 흥분한 것
같았다. 마스크 아래 얼굴이 벌겋게 변해 있을 것
이다. 긴장한 최닥 뒤에서 양 이사가 자세를 잡아
주었다.

"투자 꼭 생각해 보세요. 형님이 돈만 대 주시면
나머지는 저희가 알아서 해요."
"너를 못 믿어서 이러는 게 아니야. 내가 확신이
없어서 그래. 공부가 더 필요하다고."
"공부하면 알 수 있는 일인가요, 이게?"
"알지. 세상 돌아가는 이치가 궁금할 땐 숫자를
보면 돼."

"숫자는 그렇게 잘 아는 분이 골프는 왜 못 치실까."

양 이사가 놀리듯 말했다. 최닥은 아이언클럽을 야심 차게 휘둘렀다. 공은 비실비실한 궤적을 그리며 엉뚱한 방향으로 휘어 날아갔다. 박프로가 터지는 웃음을 참았다. 최닥이 그쪽으로 걸음을 옮기는데 유변이 말했다.

"놔둬. 양파야."

"벌써?"

양파는 더블 파를 의미한다. 규정 타수의 두 배를 쳤다는 소리다. 한국에서는 더블 파를 기록하면 더 이상 게임을 진행하지 않는다. 그 점이 미국과는 달랐다. 미국 사람들은 무슨 일을 하건 기어이 끝을 본다. 건국 이래 이어져 내려오는 국민성이었다. 금융시장에도 이런 성정은 반영되기 마련이다.

한국의 주식시장에서는 상하한가를 정해 두어서 주식 가격은 전날 종가의 30퍼센트 이내로만 상승 또는 하락할 수 있다. 상장 당일 한정으로 공모가 대비 200퍼센트의 시초가가 허용되기도 하고, 그 금액을 기준으로 상한가를 치는 '따상' 같은 경우가 있기는 하지만 대개의 경우 손실이건 이득이건 하루에 3할이 예상할 수 있는 최대 금액인 것이다. 미국 증시에는 그런 장치가 없다. 위로도 아래로도, 끝없이 갈 수 있다. 성공과 몰락을 개인의 선택에 맡긴다.

최닥은 국내에 존재하는 안전장치가 어쩐지 소극적인 것 같기도 하고 기회를 박탈하는 것 같기도 해 불만이었다. 그러나 암호 화폐 시장은 미국과 다르지 않았다. 극한의 기회와 리스크가 공존하고 있다. 그 옛날 세계인이 꿈꿨던 아메리칸 드림이 지금 한국에 존재한다 말해도 좋은 상황인 것이다.

"미안하네. 실력 차이가 너무 나서."

"바쁘셔서 필드에 자주 못 나오시니까 그렇죠 뭐."

일행은 그늘집에서 앞으로의 계획에 대해 좀 더 이야기를 나눴다. 생각보다 준비할 일이 많았다. 세력을 모으고 조직을 구성해야 했다. 더 많은 투자자가 필요했고 그들과 함께하는 동안에도 비밀은 유지돼야 했다.

계산대로라면 2년 후에 엑시트가 가능했다. 그런 시장이었다. 주식 거래에서 불법으로 간주되는 내부 정보 활용 거래, 시세 조작, 유사 투자자문, 통정매매가 암호 화폐 시장에서는 문제없는 전략이었다. 흔들어도 되는 회사와 흔들어도 되는 개미들이 가득했다. 최닥과 친구들에게는 이 시장을 휘두를 자본과 지식이 있었다.

대화가 깊어질수록 확신은 강해졌다. 큰 판이 벌어진 것이 분명했다. 넓게 펼쳐진 필드와, 그 위의 초록 잔디와, 허공을 붕붕 가르는 골프채와 경쾌하게 날아가는 하얀 공, 그 공을 품은 새파란 하늘을 보는 최닥의 심장은 약간의 흥분으로 평소보다 빨리 뛰었다. 운동 때문에 피곤한 박동이 아니었다. 도박판에서 패를 까기 전, 카지노 룰렛이 멈추기 전에 느껴지는 긴장감이 어린 두근거림이었다.

4. 1073.9% = ₩53,281,410

현기는 교도소에서 많은 사람을 만났다.

친절한 사람. 덜 친절한 사람. 악한 사람.

친절한 살인자. 덜 친절한 사기꾼. 악한 좀도둑.

마약 사범. 음주 전과자. 경제 사범. 강도. 강간범.

교도소에서는 수감실 하나를 거실이라 부른다. 함께 생활하면 혼거실, 혼자 생활하면 독거실이다. 독거실은 흔히 말하는 독방이다. 혼거실 하나의 크기는 약 일곱 평에서 여덟 평 사이로 거기에서 열세 명이 산다. 공용 공간을 제외하면 한 명이 쓸 수 있는 넓이는 반 평이 못 된다. 교정 시설의 규모에 비해 수감 대상자가 너무 많기 때문이다. 최근 몇 년간의 수용률 평균치는 115퍼센트로 OECD 평균인 97퍼센트를 훨씬 웃돈다. 누울 자리조차 부족하기 때문에 사물함 같은 수납공간과 옷걸이는 모두 벽에 붙어 있다. 식사는 1식 3찬에 자율 배식. 한 끼에 1500원짜리다.

모든 수감자는 왼쪽 가슴에 명찰을 달고 있는데 범죄 종류에 따라 색깔이 다르다. 현기의 명찰은 흰색이었다.

"몇 년 형이냐?"

노란 명찰이 물었다.

"2년."
"2년입니다, 해야지."
"그러는 너는 몇 년 형인데?"

노란 명찰이 씩 웃었다. 나중에야 노란 명찰이 조직 폭력 사범이나 관심 대상 수용자의 죄수복에 붙는다는 걸 알게 됐다. 현기는 형편없이 당했다. 당한 처지였음에도 노란 명찰과 함께 소란 수용자로 분류됐다. 수감 이틀 만의 일이었다.

조사 징벌 수용동으로 옮겨졌는데 그곳에는 항상 서른 명이 조금 넘는 인원이 머물렀다. 징벌방은 독거실로 운영하는 것이 원칙이지만 수용자가 많아 두 사람이 한 방을 썼다. 한 평 반이 좀 못 되는 크기였다. 현기는 거기서 박정배를 만났다.

현기가 박정배를 죽이고 싶어 하는 이유는 듣지 못했다. 교도소에서 보낸 시간이 어땠는지 물어보면 현기는 그 드문 경험을 자랑하듯 늘어놓았지만 박정배에 관해서만큼은 입을 다물었다. 교도소에서 몇 번 제거를 시도한 적이 있었다는 말만 들었는데, 긴 나사를 구해 틈이 날 때마다 바닥이며 벽에 대고 갈았다고 했다. 끝이 뾰족하기만 하면 된다는 생각에 교정 방송을 보는 시간에도 벽에 나사를 비벼 댔다. 그걸로 박정배를 찌르려 했지만 성공하지 못했다. 같은 혼거실을 쓰던 수감자들은 교도관에게 현기를 넘기는 대신 현기가 다시는 나쁜 마음을 먹지 못할 정도로 괴롭히는 쪽을 택했다. 교도소 내의 자체 훈육이었다. 잠이 들라치면 누군가 베개로 얼굴을 덮고 주먹으로 내리쳤다. 그 짓이 밤새 이어졌다. 현기는 이틀 만에 항복을 선언했다.

교도소의 시간은 느리게 흘렀다. 비가 오는 날이면 빨간 명찰을 달고 창가에 쭉 서 있는 무기수들이 보였다. 수감 생활이 얼마 남지 않은 어느 날 현기는 절대 저들 중 한 명이 되지는 말아야겠다고 다짐했다. 박정배를 찌르지 않아 다행이라 생각했고 정해진 형기를 채우고 풀려날 수 있음에 감사했다. 감춰 뒀던 갈망이 스르르 풀리기 시작하면서 바깥 공기가 그리워졌다.

현기는 출소하던 날 조용히 교도소를 떠났다. 침을 뱉지도, 두부를 먹으며 호들갑을 떨지도 않았다. 대신 순백의 울분을 토했다. 자신의 앞길을 가로막은, 지우지 못할 기억을 남긴 세상에 대한 포효였

당신의 신은 얼마

다. 그렇게 원망과 증오를 한 움큼 가슴에 품었다.

현기가 수감 생활을 하는 동안 나는 열심히 닭을 튀겼다.

주방은 습하고 더웠다. 일이 몰리는 시간에 고생하지 않으려면 조리 준비를 잘해 둬야 했다. 본사에서 보내온 손질된 닭을 가위로 조금씩 잘라 핏물을 빼고 닭에 치킨 파우더를 바르는 초벌 작업을 끝내고 나면 오후부터 본격적으로 기름을 끓였다. 주문이 들어오면 재벌 작업과 튀김 작업이 시작된다. 닭을 튀기는 중에도 핏물을 빼 줘야 하는데 그때 흘러나오는 핏물 때문에 기름이 밖으로 튀어 화상을 입는 경우도 있었다. 조리가 끝나면 소스를 발랐다. 양념 종류와 토핑의 조합이 다양해 익혀야 하는 작업의 종류가 수십 가지였다.

가끔은 카운터도 봤다. 몸은 덜 힘들지만 머리를 빨리 굴려야 하는 업무였다. 전화 주문이 들어오면 배달료가 있다는 걸 얘기하고 결제 방법을 미리 물어본다. 사이드 주문이 있는지, 양념은 별도로 필요한지 매뉴얼에 따라 확인한다. 닭 조각이 기름 솥에 들어간 직후 배달 대행 업체에 연락하면 포장이 끝날 때쯤 기사가 도착한다. 기사가 떠나기 전에 음료를 잘 챙겼는지, 사이드 메뉴가 빠지지 않았는지 확인한다. 결제 수단도 확인해야 한다. 특히 배달 현금 결제가 까다로운데, 기사가 고객에게 돈을 받아

가게로 다시 가져오는 방식이 아니다. 기사는 음식을 챙겨 가면서 가게에 돈을 주고, 배달 현장에서 결제가 이뤄지면 그 돈을 기사가 가진다.

기름 냄새가 하루 종일 나를 따라다녔다. 지하철이나 버스에서 옆에 앉은 사람이 재채기만 해도 내 탓인 것 같았다. 주변 사람들이 코를 훌쩍거리거나 무심히 거리를 벌리는 이유가 내 몸에서 풍기는 기름 냄새 때문인 것 같아 나는 죄를 지은 심정으로 자리에서 일어나곤 했다.

가게 사장의 이름은 한용수였다. 한 사장은 잔실수가 많다는 이유로 하루도 쉬지 않고 내게 야단을 쳤다. 아니꼬운 일을 견디면서도 다른 일자리를 알아보지 않은 이유는 이 가게에 챙길 것이 많기 때문이었다. 나는 여러 가지 방법으로 가게 자산을 빼돌렸는데, 가령 치킨 조각을 빼돌려 새로운 치킨 한 마리를 만드는 건 어려운 일이 아니었다. 고객에게는 공짜 닭을 주고 돈은 내가 챙기는 것이다. 이 세밀하고 은밀한 작업에 나는 자부심을 갖고 있었다. 주방 일을 하면서 카운터를 동시에 봐야 가능한 일이었다. 그렇게 만든 치킨 한 마리를 집으로 가져올 때도 있었다. 예리와 아버지를 위해 반 마리를 덜어 놓고 나머지 반을 맥주와 함께 해치우면 잠이 잘 왔다.

주문이 뜸한 시간이면 테이블에 앉아 뉴스를 봤

다. 가격이 급등하는 암호 화폐 소식으로 세상이 시끄러웠다. 한 사장은 주식 거래를 했다. 돈을 벌었는지 잃었는지는 알 수 없었지만 적어도 휴대폰 화면에 코를 박고 집중할 수 있는 인생은 부러웠다. 투자할 수 있는 자산이 코딱지만큼이라도 있다는 게.

나는 생의 어디쯤에서 몸부림치고 있었던 걸까. 반환점도 돌지 않은 게 분명한데 이미 지쳐 있었다. 그냥 지친 정도가 아니라 완전히 탈진한 상태였다. 모든 게 암울했다. 혜영이 없었다면 더 그랬을 것이다. 나는 그 이름을 질리지 않고 수백 번도 외칠 수 있다. 혜영, 혜영. 우리 혜영이.

혜영은 홀을 담당하는 직원이었다. 엄청나게 예쁜 건 아닌데 남자를 홀리는 데가 있었다. 웃을 때면 두 눈이 초승달처럼 휘었고 도랑처럼 깊은 보조개가 패였다. 키는 160이 좀 넘고 몸무게는 50쯤될까. 몸 전체에 탄력이 넘친다는 인상을 주었다. 막내딸이겠지. 위로 오빠가 하나 있는. 그리 부유하지는 않지만 화목한 가정에서, 온 가족이 사랑으로 키워 냈을, 그런 여자아이.

혜영도 나처럼 통계학과를 졸업했다. 수능 성적 커트라인은 혜영의 학교가 좀 더 높았지만 대학 입시 제도가 여자들한테 더 유리하다는 사실을 감안하면 우리는 거의 비슷한 지적 능력을 갖추고 있는 셈이었다. 어쩌면 내가 좀 더 똑똑할지도 모른다.

나는 고등학교 시절에 최선을 다해서 공부를 하진 않았으니까. 혜영은 언젠가 리서치 업체에 취직할 거라고 했다.

"어떤 회사 들어가고 싶은데?"
"우성리서치 정도만 돼도 좋겠어요."

우성은 리서치 업체 중에서 상위권에 속했다. 직원 수는 약 500명으로 규모가 크고 업무 프로세스가 잘 잡힌 기업으로 알려져 있었다. 리서치계의 사관학교라는 말을 들을 정도로 일이 힘들었지만 대리를 달고 나면 어디서든 경력을 인정받을 수 있는 곳이었다. 게다가 원래 국내 기업이었지만 해외 리서치 업체에서 인수해 이제는 외국계로 분류됐다. 본사가 있는 싱가포르에서 한 달간 연수를 받은 뒤에 본 업무에 투입된다고 들었다. 토익 점수가 높아야 했고 대외 활동 내역이 있어야 겨우 면접을 볼 수 있을 정도였다. 한때는 나도 꿈꾸던 직장이었다. 취업을 해야만 성공하는 줄로 알고 있던 애송이 시절에 지원서를 낸 적이 있었다. 결과는 서류 탈락이었다. 예상했던 결과라 아쉽지는 않았다. 혜영의 스펙으로도 입사하기가 힘들 터였다. 게다가 우성은 신입으로 여자를 뽑는 일이 드물었다. 업무 강도가 높아서 쉽게 버티지 못한다고 했다. 한동안 혜영이 이곳을 떠날 일은 없겠다는 생각에 기분이 좋았다.

손님이 뜸한 시간이면 혜영의 인스타그램을 열었다. 가게가 쉬는 날에 친구와 함께 을지로에 다녀온 모양이었다. 혜영은 예쁜 커피숍에 가는 걸 좋아했다. 영화와 드라마, 뮤지컬도 좋아했다. 언젠가 함께 공연을 보러 갈 수 있다면 좋을 것이다. 밥을 먹어도, 술을 마셔도 좋겠다. 혜영과 마주 앉아 오래 보고 있기만 해도 좋겠다. 나는 혜영이 예쁘게 나온 사진 몇 장을 캡처해 사진첩에 저장해두었다.

하루는 오후 느지막이 출근해 온갖 트집을 잡던 한 사장이 덜 익은 치킨을 문제 삼았다. 사실 덜 익은 건 아니고 치킨 내 색소 단백질이 뭉치거나 산화되는 핑킹 현상 탓에 살점이 불그스레하게 보인 것뿐이었는데도 한 사장은 제대로 튀기지 못하냐고 난리였다.

"야, 이거 누가 튀겼냐."

질문과 동시에 매서운 눈이 나를 향했다. 내가 말없이 손을 들자 한 사장은 치킨무 한 박스를 테이블에 올려놓았다.

"넌 정신을 어디 팔고 다니냐. 저녁 장사 시작할 때까지 주방 들어가지 말고 이거 정리해."

둔탁한 소리가 탄환처럼 내 심장을 관통했다. 혜영을 보기가 부끄러워 고개를 푹 숙였다. 주방으로 복귀하니 가장 바쁜 시간대였다. 기름은 잘도 끓었다. 건져 내는 닭의 수만큼 퇴근 시간이 가까워졌다. 정신없이 땀을 흘리고 나자 지옥 불처럼 끓고 있던 기름이 차갑게 식었고 비로소 늦은 밤이었다. 나는 혜영과 함께 가게를 나섰다. 우리는 함께 길을 걷다 버스 정류장과 지하철역으로 이어지는 횡단보도 앞에서 반대 방향으로 갈라지곤 했다.

"오늘 고생하셨어요, 오빠."

혜영이 말했다.

"그리고 사장님 말 함부로 하는 거 너무 신경 쓰지 마세요. 원래 좀 예의가 없잖아요."

쉬운 위로의 말을 들었을 뿐인데 새 한 마리가 앉았다 간 것처럼 속이 따뜻해졌다. 혜영이 꾸벅 인사하고 종종걸음으로 멀어졌다. 뒷모습이 보이지 않을 때까지 나는 그 자리에 서 있었다. 미풍이 실어 나르는 혜영의 냄새를 맡았다. 가늘고 여린 비누 향기가 끊어질 듯, 끊어질 듯 이어지다 마침내 자취를 감추었다. 막차가 끊길 시간이었다. 가야지, 하는데 발걸음이 떨어지지 않았다. 입술을 귀에 걸고 실실거렸다.

지하철역 앞에서 현기가 그 모습을 지켜보고 있었다. 바닥에 담배꽁초와 침 자국이 수북했다. 현기는 하이 파이브를 하는 것처럼 손을 들었다. 그

끝에 쇼핑백이 대롱대롱 매달려 있었다.

"현기야 나… 나 진짜 못 해."
"그 얘기 하러 온 거 아닌데."

현기는 눈을 내리깔았다. 시선이 향한 곳에 내 낡은 운동화가 있었다. 앞코는 기름이 튀어 얼룩덜룩하고 뒤꿈치가 닳아서 너덜너덜해진, 처음에는 흰색이었던 회색 운동화였다.

"전에 보니까 신발이 많이 낡아서."

쇼핑백에는 내가 평소 선망하던 브랜드의 로고가 박혀 있었다. 쇼핑백 속 상자를 열자 어쩐지 보도블록 위에서 신기에는 좀 미안하게 여겨지는 하얗고 부드러운 가죽 스니커즈가 빛을 내며 등장했다. 바닥은 푹신하고 앞코는 단단한, 하지만 피부가 얇은 부분이 닿는 곳은 촉촉해서 육즙이 폭발하는 스테이크를 연상케 하는 신발이었다. 친구에게 이런 선물을 해 줄 수 있는 인간이라니. 현기는 나보다 훨씬 일찍 어른이 된 것 같았다.

"좀 걷자."

현기가 말했다.

"어디로?"
"너희 집 멀어?"

버스로 다섯 정거장 거리였다. 현기는 그 정도라

면 괜찮겠다고 했다. 나는 신발 상자를 품에 안았고 현기는 뒷짐을 졌다. 현기는 내가 집으로 가는 방향을 잘 안내할 수 있도록 조금 뒤에서 걸었다. 집으로 오는 동안 현기는 한 번도 의뢰를 수락할 건지 묻지 않았다. 하지만 수백 번 질문을 받은 기분이었다. 빌린 것이 없는데도 빚을 진 것 같았다. 덜 잠근 수도꼭지처럼 근심이 똑똑 흘렀다. 그러는 사이 집에 도착했다. 현기는 내가 고등학생 때 살던 집에서 아직도 살고 있는 게 놀랍다는 눈치였고, 그때 이후로 조금도 형편이 나아지지 않았다는 사실에는 연민을 표했다.

"들어가. 잘 자고."

그게 끝이었다. 현기는 힘차게 손을 흔들고 쓰레기봉투가 시큼하게 썩어 가는 골목 너머로 사라졌다. 나는 방으로 들어가 플랫업 앱을 열었다. 현기가 신발을 사 온 이유도, 굳이 나를 설득하기 위해 노력하지 않은 이유도 알 것 같았다. 현기에게는 자신감이 있었다. 래더코인의 가치는 계속해서 오를 것이고 결국은 내가 움직일 거라는 자신감. 래더코인의 가격은 최초 투자 시점 대비 1000퍼센트로 상승한 상태였다. 500만 원이 5000만 원이 됐다는 의미였다.

분명 높은 수익률이었고 큰돈이었지만 그 정도 액수로 내 마음을 움직일 수는 없었다. 나는 정확한 수

치와 자료를 모아 미래를 예측하는 중이었고 암호
화폐 시장은 결국 소멸할 거라는 사실을 알고 있었
다. 투자는 테마주로 해야 한다는 생각만 공고했다.

기회가 올 때 돌려줄 생각으로 신발 상자를 책상
아래 놓아두었다. 스니커즈는 작은 짐승처럼 어둠
속에서 퀭하니 눈을 꿈뻑이고 있었다. 갈고리 모양
을 한 검은 로고는 컴컴한 적막 속에 도사리며 느
린 숨을 쉬었다.

*

최닥은 아내의 생일에도 양 이사와 전략 회의를
했다. 저녁이 훌쩍 지나서야 겨우 처가에 들를 수
있었다. 아내는 소파에 앉아 졸고 있었고 장모는
주방에 앉아 차를 마시는 중이었다. 식기세척기와
로봇 청소기가 저마다 바빴다. 장모와 아내에게 안
부를 전한 뒤 장인이 있는 서재로 향했다.

양재천 인근의 40평이 조금 못 되는 이 아파트
의 실거래가가 30억을 넘어섰다. 내년이면 평당 1
억에 육박할 거라는 예측이 지배적이었다. 대략 팔
을 양쪽으로 쫙 벌린 너비를 한 변으로 둔 정사각
형이 1억짜리라는 뜻이었고 두세 걸음마다 1억짜
리 길을 지나치는 셈이었다. 최닥은 4억 남짓한 실
내 복도를 걸었다. 그 끝이 서재였다. 방문은 열려

있었다.

조선 시대 백자가 눈에 들어왔다. 경주의 명인이 제작한 제품으로 복제품인데도 수백만 원을 호가했다. 그 옆에는 분재가 놓여 있었다. 장인은 꽤나 공을 들여 분재를 돌보았다. 손질이라고 해 봐야 먼지를 털어 내고 물과 비료를 주거나 잔가지를 잘라 내는 것이 전부였지만 자식을 모두 키우고 쓸쓸해진 노인의 손놀림에는 애잔한 데가 있었다.

시중 은행의 부행장으로 은퇴한 장인은 한때 은행업계 최연소 이사 자리에 오르는 등 승진 가도를 달리던 인물이었다. 고졸 학력으로 이룬 쾌거였다. 정작 장인은 그 사실을 자랑스러워하지 않았다. 좋은 대학을 졸업해서 행장까지 가는 쪽이 더 자랑스럽지 않겠냐는 거였다.

책을 읽던 장인이 최닥의 인사를 받는 둥 마는 둥 하며 물었다.

"투자를 했다면서."
"아직 고민 중인 일이에요."
"이빨이나 보던 사람이 주식 투자 한다고 했을 때도 불안했어. 잘돼서 다행이지만."

장인은 돋보기 안경을 벗었다. 마지막으로 봤을 때보다 살이 붙어 있었다. 최닥은 책상 옆에 가서 섰다. 좌우로 간결하게 쌓아 올린 책장에 경제학 이론

서나 경영 전략서, 지침서 따위의 서적이 가득했다.

"친구들이랑 한다고 들었는데. 믿을 만한 친구들
이야?"

"네. 고등학교 친구들이라서요."

"못 믿을 사람들 중에 가장 믿을 만한 사람들이네."

"믿을 수 있는 사람들은 누군데요?"

"가족이지."

"저도 가족인데, 장인어른 저 믿으세요?"

"우리는 가장 믿을 만한 사람들 중에 가장 못 믿을
사이고."

장인은 가볍게 최닥을 끌어당겨 등을 두드렸다.
그리고 꾸짖는 것처럼 말했다.

"투자도 결국은 대출이고, 돈은 쉽게 빌려주는
거 아니야."

"장인어른이 그런 말씀을 하시니 어색하네요. 수
신으로 돈을 모으고 여신으로 빌려주는 게 은행
의 기본 업무 아니었나요."

"여신의 기본은 돌려받을 수 있는 곳에 돈을 빌
려주는 거지. 돌려받을 가능성을 본다는 건 상대
의 상태를 평가한다는 거고, 그건 투자와 같은
개념이야. 확실한 일이라면 투자를 해. 빌려준
돈이라면 이자만 돌려받지만 믿을 만한 사람에
게 투자한 돈이라면 몇 배가 돼서 돌아올 거야."

최닥은 장인과 함께 거실로 이동했다. 테이블에 과일이 놓여 있었다. 아내는 토끼 같은 앞니로 사과를 깎아 먹던 중이었다.

"무슨 얘기 했어?"

아내가 물었다.

"네 얘기 했지."

장인이 대답했다. 최닥은 테이블에 앉아 포도 한 알을 입에 넣고 굴렸다. 텔레비전 소리가 시끄러웠지만 귀에 들어오지 않았다. 암호 화폐에 투자하는 건 어떻겠냐고 장인에게 물어보고 싶었지만 입을 다물고 있는 편이 나을 것 같았다.

처가를 나선 시간은 늦은 밤이었다. 어깨를 두드리는 장인의 손이 잘 좀 하라고 말하는 듯했다. 차는 잘 달렸다. 바닥이 시원하게 뻗은 도로에 안기듯 달라붙었다. 서스펜션도 브레이크도 부족할 게 없었다. 다만 부족하고 이가 맞지 않는 인생의 한 조각이 자꾸 덜거덕거렸다. 지금까지 이뤄 놓은 것만으로는 부족했다. 지루하고 반복적인 인생을 반전시켜 줄, 짜릿한 손맛을 느끼게 해 줄 조미료가 빠진 것 같았다. 최닥은 페달을 꾹 눌러 밟았다.

"운전 조심해. 천천히."

아내가 걱정스레 말했다.

당신의 신은 얼마

5. 2017.7% = ₩100,110,030

침대에 대자로 누워 있는데 예리가 거실을 가로질러 달려오는 소리가 들렸다. 뒤꿈치로 바닥을 쿵쿵 찍으며 다가와 벌컥 문을 여는 모습이 사나웠다. 보건 휴가를 내고 쉬는 날이라면서 왜 저리 기운이 넘칠까.

"왜."

나는 침대에 앉아 예리를 쳐다봤다.

"오빠, 대체 어떡하려고 그래."
"뭐."
"내 상품권 가져갔어?"
"아니."
"거짓말."

예리가 한숨을 쉬었다.

"돈 부족해? 오빠도 아르바이트 하잖아."
"아니야 그런 거. 나 돈 안 부족해."
"그런데 왜 내 물건에 손을 대."

나는 대답을 하지 않았다. 사정을 이해할 생각은 하지 않고 다짜고짜 화부터 내는 예리에게 나도 짜증이 났다. 고개를 돌린 채 씩씩거리고 있으면 예리가 알아서 자리를 비켜 줄 거라 생각했는데 웬걸, 예리는 오히려 지갑을 열었다. 코앞에 5만 원짜리가 대롱거렸다.

"받아."

차마 받을 수가 없었다. 나는 헛기침을 했다.

"받으라니까."

예리는 기어이 내 바지 주머니에 돈을 찔러 넣었다. 그 손목에, 뭔가 거뭇한 것이 보였다. 만다라 같은 도형 위로 읽기 힘들게 꼬부라진 알파벳이 어깨에서 팔꿈치까지 내려와 있었다. 나는 덥석 예리의 팔을 잡았다. 문신이었다. 얼마 전에 새긴 듯 검은 잉크 주위로 피부가 빨갛게 부어 있었다.

"이건 뭐야?"

예리는 눈을 흘겼다.

"타투지 뭐긴 뭐야. 왜."

그러고 보니 머리가 짧았다. 남자들이 입을 법한 펑퍼짐한 반바지와 헐렁한 티셔츠에 백팩 차림이었다.

"머리는 또 왜 그래."

예리는 한숨을 푹 쉬더니 뾰족한 손가락으로 머리카락을 가리켰다.

"더워서 숏 커트로 자른 거야. 문제 있어?"

당신의 신은 얼마

문제는 없었다. 다만 다른 남자들이 예리를 비난할 것 같아 신경이 쓰였다. 무난무난하게 살면 좋을 텐데. 무슨 디자인 같은 일을 하는 회사에 취업을 했다더니 거기서 물이 든 것이 틀림없다. 질 나쁜 종교 단체에 여동생을 뺏긴 기분이었다.

예리는 언제부턴가 내 앞에서 어른 노릇을 했다. 아는 것이 더 많은 척, 더 오래 세상을 산 척. 주제넘은 조언을 웃어넘겼던 건 그래도 동생이라서였다. 예리한테 훈계를 듣고 나니 잃은 것도 없는데 커다란 걸 잃어버린 기분이 며칠씩 이어졌다. 내가 다다르고 싶었던 미래에 대해 생각했다. 가끔 만화가가 되었더라면 좋았을 거라는 생각을 한다. 어렸을 때는 곧잘 그림을 그렸다.

마음이 몹시 허해 집을 나왔다. 출근 전까지 아무 데로나 걸었다. 터널이 있는 곳에서 통화 목록을 주르륵 훑었다. 현기에게 전화를 했다. 가족이 아닌 사람의 목소리를 듣고 싶었고, 내 목소리를 반가워할 사람은 현기밖에 없을 것 같았다.

"응, 정환아."

현기는 살갑게 전화를 받았다. 잠시지만 얼었던 마음이 포근해졌다.

"얘기한 거 하려고?"
"아니. 그것 때문에 전화한 거 아니야."

"그럼 왜 전화했어?"

목소리는 순식간에 가라앉았다. 처음 전화를 받았을 때에 비해 낙차가 큰 말투였다.

"그냥. 얘기 좀 하고 싶어서."

전화기 너머로 시끄러운 소리가 들렸다. 현기는 어딘가 북적거리는 곳에 있는 모양이었다.

"무슨 얘기?"
"그냥 사는 얘기."
"무슨 헛소리야."

짜증이 섞인 말투의 끝이 돼지 꼬리처럼 말려 올라갔다.

"야. 너 힘들어?"

현기의 말에 나는 걸음을 멈췄다. 힘든가. 외로운 게 아니라 힘든 거였나. 그렇게 생각하니 그런 듯도 했다. 친구가 있어도 기분이 나아질 것 같지는 않았다. 그러나 돈이 아주 많아서 아버지 빚도 갚고 가게도 차릴 수 있다면 우울함은 단박에 날아갈 것이다. 외롭지도 않을 것이다. 그러니까 나는 외로운 게 아니라 힘든 게 맞겠다는, 정확히는 돈 때문에 힘든 거라는 생각이 들었다.

"힘들면 해 그냥. 어려운 일도 아니라니까. 일 한 번에 5000만 원 버는 게 쉬워? 그걸 왜 안 해."

당신의 신은 얼마

"5000만 원이라니."

"내가 절반을 준다고 했잖아."

"그런데?"

"야, 너 지금 래더코인 얼만지 안 봤어? 우리가 넣은 돈이 지금 1억이 됐어."

통화를 스피커폰으로 돌려 놓고 플랫업을 열었다. 짧은 로딩 시간 동안에도 손이 떨렸다. 첫 화면에 어제 하루 사이 가격이 급상승한 암호 화폐가 상승 폭이 큰 순서대로 나열돼 있었다. 다른 코인은 눈에 들어오지 않았다. 멱살을 쥐듯 시선을 잡아챈 건 최상단에 올라와 있는 래더코인이었다. 머리가 하얘졌다. 우리가 투자한 코인의 가치는 최초 투자금 대비 2000퍼센트였다. 500만 원의 스무 배, 1억. 현기의 말대로였다.

"뭐야. 이거 보고 전화한 줄 알았더니."

현기는 잠깐 웃었고, 다시 분주하게 뭔가를 하다 말을 이었다.

"야 끊어. 나 좀 급해서. 이따 내가 전화할게."

포르쉐가 쌩하고 옆을 지나갔다. 어쩐지 저런 차에 탄 사람들은 성실히 돈을 벌었을 것 같지가 않았다. 대포차를 굴리거나, 엄마 차를 빌렸거나, 보이스 피싱 조직원이거나, 아무튼 뭐 그런 위인들일 거라고 생각했다. 그래야 내 고단함이 조금은 위안을 받을 것 같았다. 밤마다 폭주족들의 엔진 소리가 잠을 방해하는 이 허름한 주택가가 미웠다.

나는 다시 걸었다. 1억, 1억, 중얼거리며 굴다리
아래를 지났다.

*

도둑을 맞은 뒤 몇 달 후 최닥은 강남과 가까운
동네로 이사했다. 새집은 아파트형 고급 빌라였는
데 같은 단지에 연예인이며 젊은 재력가가 거주한
다는 소문이 심심찮게 들렸다. 주차장이나 엘리베
이터, 단지 내 편의 시설과 인근 유명 식당에서 최
닥은 그들의 흔적을 느낄 수 있었다. 이따금 찾아
오는 자격지심이 최닥을 괴롭혔다. 나는 그저 운이
좋아 여기까지 온 것이 아닐까. 어쭙잖게 이런 위
치에 서 있다가 순식간에 예전 모습으로 돌아가 버
리지는 않을까. 이 괴상한 불안은 소속의 부재가
만들어 낸 허전함이기도 했다. 지금보다 가진 돈은
적었지만 명성이 있었던 의사 시절이 그리워질 때
도 있었다. 공허를 달래 준 것은 프라임 캐피털 파
트너스였다.

프라임 캐피털 파트너스는 펀드 운영 회사였다.
투자자문 회사인 동시에 재단 역할을 했는데 본질
적으로는 래더코인의 생성 주체였다. 본사는 싱가
포르에 서류상으로만 존재했다.

당신의 신은 얼마

펀드를 조성한 이유는 대규모 투자금으로 시장에 영향력을 행사하기 위해서였다. 우선 프라임 캐피털 파트너스와 손을 잡은 MM이 시장에 소문을 흘렸고 프라임 캐피털 파트너스는 자금력을 동원해 특정 암호 화폐의 가격을 올렸다. 개미들이 모여들기 시작하면 프라임 캐피털 파트너스는 원금을 잃지 않는 선에서 야금야금 풀었던 자금을 회수했다. 이 과정에서는 수익을 목표로 하지 않았다. 중요한 건 MM의 말을 신의 뜻이라 믿고 바로 지갑을 열 수 있는 고관여 회원들을 모으는 것이었다.

"이름 없는 코인은 뜨기가 힘들 텐데요. 비트코인도 아니고 이더리움이나 리플도 아니고…. 하다못해 도지도 아니잖아요."

벼락치기 공부 중인 유 후보였지만 암호 화폐 시장에 대한 이해가 전무한 건 아닌 모양이었다. 수준을 좀 높일까 생각하던 최닥은 정책 본부장이 사전에 안내한 내용을 복기했다. 열여덟 살짜리도 이해할 수 있게 설명하기. 어려운 용어를 쓰는 건 괜찮지만 그다음엔 반드시 설명을 곁들이기.

"펀드 운용 회사가 관리하는 총 자산을 AUM이라고 하는데요. 그 돈을 가지고 작은 코인들을 먼저 건드렸어요. 업계에서는 잽을 날린다고 하는데, 툭툭 건드리면 휘청하는 것들이 있거든요.

변동성이 커서 쉽게 투자 대상으로 삼기는 어렵지만 분명히 매력적인 코인들의 존재를 알리는 시그널을 보내 주는 거예요."

"하지만 소규모 투자자들이 추가 매수를 진행하지 않으면, 펀드 회사 입장에서는 코인 가격만 높여 놓은 상태로 자금이 묶여 버리는 거 아닌가요?"

"투자 회사 노하우가 바로 그 타이밍을 컨트롤하는 거예요. 벌기보다는 잃지 않는 작전을 짜요. 우선 사람들을 모으는 데만 신경을 썼고요. 코인 하는 사람들 생각이 뻔해서, 내가 낸 금액보다 더 높은 가격에 코인을 살 사람만 있으면 아무리 고평가된 코인이라도 투자를 해요. 하지만 그걸 어떻게 확신할까요. 이 코인을 더 높은 가격에 살 사람이 있을 거라는 확신을, 어떻게 하겠냐고요. 투자 대상이 주식이라면 기업의 성장세나 PER, PBR 같은 걸 보겠죠. 말도 안 되는 정치 이슈나 화제가 된 콘텐츠를 회사랑 연결시키기도 하고요. 명분이 필요한 거예요. 암호 화폐 시장에서는 세력들이 그 일을 했어요."

"말하자면 대표님이 그 세력인 거죠?"

유 후보의 말투에는 의도하지 않은 비아냥이 묻어 나왔다.

"그렇죠. 그런데 세력이 비난받을 존재인가 생각을 좀 해 봐야 해요. 사람들은 상승 가능성을 보고 특정 코인에 투자를 하는데, 정작 코인 가격을 상승시키는 역할을 하는 주체가 세력이거든요. 유기적으로 돌아간다는 말이에요. 열심히 코인 홍보를 하면, 그 결과로 가격이 오르니까, 세력은 그걸 예상해서 미리 투자를 하는 사람들인 거죠."

"담합을 해서 조작을 시도하셨는데, 암호 화폐 시장에서는 공정한 전략인 모양이죠?"

"말씀하시는 담합이 별게 아니에요. 암호 화폐가 가격 변동성을 가지고 움직이려면 여러 조직이 각자 역할을 해야 해요. 코인은 상품이니까요. 세간에서 조작이라고 말하는 행위는 불법이 아니고요. 마케팅이나 광고 행위를 문제 삼을 수는 없잖아요? 비트코인과 이더리움에 특별한 차이가 있어서 어떤 건 비싸고 어떤 건 싼 게 아니에요. 신뢰도와 유명세 문제인데, 저희가 한 일이 문제 될 것 같으면 아예 정부에서 특정 코인만 유통시켰어야죠. 열린 플랫폼에서 정부의 규제 없이, 처음으로 공정한 게임이 이뤄진 거예요. 그래서 사람들이 열광한 거고요. 광풍은 자연스러운 거예요. 세상에 그렇지 않은 게 뭐가 있을까요. 부동산이 더하죠. 하다못해 대왕 카스테라, 벌집 아이스크림, 질소 아이스크림 같은 것도 그래요. 유행을 타면 사람들이 뛰어들고 그중에서 살아남는 건 몇 개 안 돼요. 사람들은 그걸 갖고 비난하지 않아요. 오히려 정부가 라이선스를 주면서 특정 몇 명만 창업할 수 있게 한다면 그게 욕먹을 짓이지. 알아서 하게 내버려 두면 공정하게 경쟁하고 승자와 패자가 정해진다니까요."

"하지만 세력이 들어와서 영향을 주는 건 시장 교란이 아닐까요?"

"이쪽에는 시장이 없어요."

최닥은 숨을 크게 들이마셨다.

"다들 알면서 뛰어든 도박판이었죠."

6. 4064.8% = ₩228,473,310

내가 활동하는 커뮤니티에는 평일 기준 300건의 글이 올라온다. 주식과 재테크, 게임, 연예, 정치, 취미에 이르기까지, 모든 분야의 게시판이 정보를 품고 살아 날뛴다. 밀려드는 활자를 놓치지 않아야 한다. 정보는 자산이니까.

게시판에는 정보만 오가는 것은 아니다. 은밀하고 질 나쁜 생각, 받아들여서는 안 될 것 같은 급진적인 사상이 가까운 곳에 도사린다. 언제부턴가 그런 사고방식이 내 안으로 파고들기 시작했다. 친근한 활자들이 다가와 피부를 가르고 알을 깠다. 알에서 깨어난 것들이 몸속에서 기어 다녔다. 간지러움을 견뎌야 했다. 더럽고 상스럽게 느껴지던 말들이 평범하게 들리기 시작할 때를 기다렸다. 그래야 더 넓은 세계를 경험할 수 있을 것 같았다.

커뮤니티를 드나드는 동안 나는 좀 무감각해졌다. 죄의식과 도덕의 결계를 벗어난 것이다. 아마 죄책감을 다루는 뇌의 어느 부분이 망가졌을 것이다. 나는 어지간히 지저분한 말에도 충격을 받지 않는 사람이 되었다. 산성 물질 같은 패륜성 글도 눈살을 찌푸리게 만드는 노골적인 성애 묘사도 덤덤히 받아들일 수 있었다. 스트레스를 풀기 위해 기꺼이 타인을 조롱했다. 사람들과 함께 진영을 이루어 상대편을 욕하고 있으면 스스로가 괜찮은 사람인 것처럼 느껴졌다. 비난의 대상은 누구라도 좋았다. 사회적 약자에게는 노력하지 않았다는 프레임을 씌웠고 강자는 위선적이라는 이유로 비난했다. 강자도 약자도 아닌 자에게는 능력이 부족하다는 말로 폭격을 가했고, 그마저도 통하지 않으면 외모를 품평했다. 그곳에는 사람들이 숨기고 있던 본마음이 있었다. 환영받지 못하는 내밀한 목소리를 아무렇게나 배설하는 은밀함이 존재했다. 윤리와 규범의 경계가 무너져도 괜찮은 공간에서 나는 비로소 자유로워졌다.

우리는 양극화 현상, 장애인 처우, 남녀 차별, 동성애 허용 등에 대해 토론했고 논지의 전개는 언제나 내 예측을 뛰어넘었다. 항간에서 얘기하는 옳은 것, 착한 것, 아름답고 도덕적인 것들은 철저히 물크러졌다. 솔직히 말하면 눈이 뜨이는 기분이었다. 그게 아닌데 하면서도 마음이 조금씩 기울다가 이어지는 주장에 완전히 매료되고 말았다. 생각이 팝콘처럼 튀었다.

죽여. 죽여 버려. 목소리가 말한다. 세상은 크게 잘못돼 가는 것 같았고 내가 그 세상에서 좋은 자리를 차지할 가능성은 낮아 보였다. 뭔가 다른 사람이 되고 싶었다. 아예, 새로운 종(種)이. 나는 흑인이 되고 싶었고 아버지는 백인이 되고 싶어 했다. 예리는 그런 우리를 한심해했다. 그럼 넌 뭐가 되고 싶냐고 물으면 예리는 바퀴벌레가 되고 싶다고 했다. 바퀴벌레는 비누만 갉아 먹고도 살 수 있다고 했다.

지랄이다. 지랄도 풍년이다.

하루는 한 사장이 회식을 하자고 했다. 장사도 잘되는데 튀긴 것만 먹을 수는 없다며 회를 쏘겠다는 거였다. 팁팁한 튀김에 질려 날것이 필요하던 차였다.

함께 일한 지 얼마 안 되는 막내가 옆자리에 앉았다. 녀석은 와사비와 담배 냄새가 묘하게 섞인 입 냄새를 풍겼다. 반대쪽으로 고개를 돌리니 혜영이 콘치즈를 떠먹고 있었다. 앙다문 작은 입술이 오물거렸다. 힐끔힐끔 혜영을 훔쳐보다 맞은편으로 고개를 돌리자 희멀건 생선 눈깔이 향하는 곳에 한 사장이 보였다. 자신의 젊은 시절 이야기로 신나게 입을 터는 중이었다. 어떻게 젊은 나이에 돈을 모으고 불렸는지, 가게를 열고 집을 얻고 차를 사기까지 얼마나 많은 노력이 필요했는지. 한 사장은 30대 중반이었으니 젊은 시절 사연이라고 해봐야 불과 10년 전 이야기들이었고 그 자리에 있던 모두는 한 사장이 부모 도움으로 가게를 차린 걸 뻔히 알고 있었다. 그런데도 혜영은 박수를 치며 호응을 했다. 나는 기침을 가장한 헛웃음을 지었다.

2차는 노래방이었다. 방음 시설이 제대로 갖춰져 있지 않은 시장 골목 초입의 싸구려 노래방은 목욕탕을 연상시켰다. 다들 유행에 뒤처진 가요만 불렀다. 사람들이 부르는 노래를 더 이상 들어 주기 힘들 정도가 되었을 때 혜영이 날 뚫어져라 바라보고 있는 것을 알았다.

"뭐 먹니."

나는 술기운을 빌려 말했다. 혜영은 덜 깐 땅콩을 입에 한 조각 밀어 넣는 것으로 대답을 대신했다.

"아까 사장님 하는 말 잘 듣더라."
"재미있어서 들은 거 아니에요."
"재미없는데 왜 들어?"

"듣는 척해 줘야 편하죠. 오빠도 너무 사장님 무시하지 마요."

"티 나?"

"엄청요. 그냥 듣고 흘려요. 전 사장님이 한 말 거의 안 믿어요. 부모 잘 만난 아저씨가 헛소리 하는 거잖아요."

조금 취한 혜영은 말이 많아졌다. 사랑스러워서 견딜 수가 없었다. 작은 입술이 꼼지락거리는 걸 보고 있으면 속에 있는 뭔가가 불끈거렸다. 겨드랑이, 목덜미, 발목, 손가락, 혜영의 조각들이 저마다 입과 혀를 달고 내 피부를 핥는 듯한 느낌이 들었다. 축축한 촉감은 달콤했다. 내 손은 혜영을 향해 다가갔다. 소파 위에서, 꿈틀대며 조금씩. 손끝이 서로 닿는 순간 혜영이 움찔했다.

한 사장은 거하게 취해 내키는 대로 술을 주문했다. 맥주가, 와인이, 보드카가, 맥주와 소주가 테이블에 올랐다. 나는 주는 대로 넙죽넙죽 받아 마셨다. 혜영이. 우리 혜영이도 한잔해야지. 오빠랑 러브 샷 한번 해야지. 고개를 돌렸는데 와사비와 담배 냄새를 풍기는 막내만 보였다. 옆자리가 허전했다. 화장실에 가는 척 나가 보니 고층 건물들이 바람에 흔들리는 숲 같았다. 가로등 불빛이 흐릿하게 땅을 비췄다. 혜영이 택시를 기다리고 있었다. 아직 더운 여름이었다. 날벌레가 끈덕지게 뺨과 귓바

퀴에 앉았다. 에어컨으로 식혀 놓은 살갗에서 땀이 솟기 시작했다.

"가게?"

혜영이 뒤를 돌아봤다. 택시가 도착했다.

"가는 거야?"

택시에 오르는 혜영의 손을 살짝 쥐었다. 혜영은 맞닿은 손을 물끄러미 바라보다 차에 올랐다. 엉켜 있던 두 손이 느슨하게 풀렸다.

"오빠."
"응."
"손 좀 놔주세요."

혜영은 닫히는 문틈으로 뭔가를 말했다. 취기에 엔진 소리까지 더해져 잘 들리지는 않았다. 내 축축한 손이 닿지 않기를 바랐을까. 아프다고, 불쾌하다고 말하려던 거였을까. 모르겠다. 어쩌면 아무 말을 안 했는지도. 모르겠다. 나는 젖은 손을 바지에 닦았다.

혜영이 떠난 자리에서 달고 상쾌한 향수 냄새가 났다. 손끝에는 조금 전까지 온기를 전해 주던 혜영의 체취가 남아 있었다. 손을 코에 바짝 갖다 대고 킁킁거렸다. 냄새는 많은 걸 상상하게 했다. 혜영의 침대, 혜영의 베개, 혜영의 이불, 옷장, 화장대. 서랍 속에 숨긴 은밀한 이야기들. 내가 볼 수 없는, 영원히 보지 못할 혜영의 수백 가지 모습.

노래방으로 돌아왔지만 음악 소리는 귀에 들어오지 않았다. 휴대폰을 들었다. 엄지손가락이 무심결에 플랫업을 향했다. 로고가 사라지고 메인 페이지가 펼쳐지는 순간 칼에 베이는 느낌이 들었다. 피처럼 붉은 화살표가 솟구쳤다. 지표는 다시 내 예상을 벗어나 있었다. 상승 가도를 달리는 암호화폐의 무리 속에서도 래더코인은 단연 최상단을 차지했다. 궤도를 이탈해 추락할 줄 알았던 수익률이 어느덧 4000퍼센트였다. 현기의 500만 원, 아니 우리의 500만 원은, 이제 2억이 되어 있었다.

현기는 여전히 내게 같이 할 거냐고 묻지 않았다. 꾸준히 미끼를 던질 뿐이었다. 코인이 싸구려였던 시절이 차라리 좋았다. 시간이 지날수록 박정배를 납치하지 않는 대가로 내가 포기해야 할 기회비용은 증가하고 있었고, 언젠가 이 활황이 정점을 찍고 고꾸라지기 시작할 때 내가 느끼게 될 상실감을 충분히 짐작할 수 있었다.

"아버지는 돈 많으면 뭐 할 거예요."

하루는 내가 물었다. 아버지는 도라지를 씻던 중이었다. 일감이 들어오지 않는 마당에 이삿짐이라도 날라야겠다며 장거리 운행을 뛰고는 했는데, 가끔 돌아오는 길에 산에 들러 약초를 캘 때가 있었다. 나는 실한 놈을 건졌다고 헤실거리면서 돌아오는 아버지 옆에 앉았다.

"하고 싶은 거야 널렸지. 가진 돈이 얼마냐가 중요하지."

"1억이면요?"

"대출 좀 받으면 가게 하나 낼 수 있겠네."

"근데 그거 벌려고 나쁜 일을 해야 한다면요?"

"얼마나 나쁜 일인데?"

"누군가 죽어요."

"왜. 누가 사람 죽이면 돈 좀 준다든?"

나는 아버지를 가만히 쳐다보다 대답했다.

"네."

"그런 거면 나는 엮이게 하지 마라."

도라지를 다 씻고 드라마를 보던 아버지는 모로 돌아누워 코를 골았다. 들어가서 자요. 그렇게 말하는데도 대답이 없었다. 나는 리모컨을 들어 소리를 줄였다. 아버지는 입버릇처럼 버티는 게 답이라고 말하던 사람이었다. 세상이 원래 그런 거라고. 버티는 사람이 살아남고 결국은 시장을 독식하게 되는 거라고. 그러니 열심히 일해야 한다고. 열심히 버티고 버티다 보면 언젠가 길이 보인다고.

하지만 인내의 끝에 있는 건 낙원이 아니다. 참고 사는 사람의 미래는 수수하다. 버티는 것이야말

로 국가와 기득권이 원하는 일이다. 우리가 경제적
인 자유를 획득하지 못하도록 막아야 그들이 노동
력을 확보할 수 있기 때문이다. 나는 아버지와 다
를 것이다.

집이 엉망이었다. 바닥에 먼지가 풀풀 날렸고 쓰
레기통에 날파리가 꼬였다. 나는 빨래 통에 담긴
속옷과 양말을 세탁기에 돌렸다. 청소기로 대충 거
실을 밀고 밀린 설거지를 했다. 생각이 많은 날이
었다. 저울 위에 많은 것들을 올려놓았다. 좋은 옷.
좋은 신발. 좋은 가방. 좋은 차. 그리고 그 반대편에
사람의 목숨. 어느 쪽으로 저울이 기우는지, 숨을
죽이고 지켜보았다.

*

작업은 순조롭게 진행됐다. 실은 좀 무서울 정도
로 계획대로였다. 시장의 흐름은 양 이사의 예측에
서 벗어나지 않았고 수익률은 목표 이상으로 상승
하고 있었다. 양 이사는 래더코인이 자신들의 통제
를 벗어나는 순간 다음 작업을 진행할 거라고 했
다. 실행 계획서를 전달받은 건 일주일 후 저녁의
일이었다. 최닥은 서재에서 계획서를 읽었다. 이
전 작업이 분석과 판단이었다면, 이번 작업은 운영
이었다. 최닥은 이제 시장을 지켜보는 자가 아니라

당신의 신은 얼마

적극적인 참여자였다. 그로 인한 스트레스는 상상 이상이었다. 이를 치료하거나 주식 차트를 바라볼 때 느낀 것과는 차원이 다른 중압감이 최닥을 괴롭혔다.

아내와의 관계도 예전 같지 않았다. 아내는 자주 최닥을 원망했다. 의사였을 때는 시간 맞춰 퇴근을 했고 전업 투자자가 된 후에는 적어도 증시에 맞춰 생활하던 사람이 코인에 관심을 가진 후로는 밤낮 없이 일한다는 것이 이유였다. 암호 화폐 시장에는 원래 정해진 장 시간이 없는 데다 공부할 내용이 많아 그렇다고 변명을 해도 소용이 없었다. 아내는 외로워했다. 언제부턴가 수면제를 먹었다.

"당신은 왜 그렇게 열심히 돈을 벌어?"

늦은 밤 아내 옆에 누웠을 때, 잠꼬대처럼 아내가 말했다.

"글쎄. 아직 모자라서 그런가."
"돈은 이미 많잖아."
"그렇지. 하지만 돈으로 살 수 없는 뭔가가, 나한테 필요한 것 같아. 목표 같은 거. 그걸 이루면 지금보다 훨씬 더 너그럽고 여유로워질 거야. 조금만 참아 줘. 작업이 오래 걸리지 않을 거야."

아내는 말이 없었다.

"필요한 것들 좀 사. 가방이나 옷 같은 거…. 그

래, 같이 백화점 한번 가 보면 어때?"

아내는 잠이 들어 있었다. 살짝 열어 놓은 창문으로 고층 아파트 특유의 바람이 불어왔다. 정작 잠들기 어려운 쪽은 최닥이었다. 약간의 불안과 흥분 상태가 지속됐다. 이따금 아내가 이불을 밀어내며 몸을 뒤척였다.

"코인이 수익을 내는 방식이 일종의 폰지 사기 아니냐는 이야기도 있던데요."

유 후보가 흔해서 지겨운 질문을 했다.

"글쎄요. 금은 어떨까요? 달러는요. 금이나 외환 거래를 두고 폰지 사기라고 하지는 않잖아요."

유 후보의 어투가 딱히 공격적이지 않았음에도 최닥은 암호 화폐를 변호하는 태도를 취했다. 유 후보가 이어서 물었다.

"그쪽은 정부에서 운영하는 시스템을 통해 거래하잖아요. 코인판은 어때요? 투자금을 모은다며 사기 행각을 벌이는 경우도 있지 않았나요?"
"인가받지 않은 채로 투자자를 모집해 유사 수신 행위를 벌인 사례가 있기는 했죠. 중요한 지점은 그게 불법이냐 하는 건데. 상대를 기망하면… 그러니까 사기를 치면 불법이 되지만 약속한 투자 행위를 적법하게 수행하고 수익을 배분

당신의 신은 얼마

하면 문제가 안 돼요. 애초에 투자자문 회사니까요. 문제가 됐던 건 코인을 이용한 사기였죠. 가짜 거래소를 차리거나, 거래소를 차리겠다고 투자금을 모으는 거요. 회원들에게 투자자문을 해주다 투자 대행을 하고, 결과를 내놓으라고 하면 코인을 산 것처럼 숫자만 보여 주는 사기. 자본 회수 요청이 들어오면 다른 투자자의 돈으로 돌려주는 놈들이 있었어요. 그거야말로 폰지 사기죠. 제가 말하고 싶은 건, 코인 시장 자체는 사기를 치지 않는다는 거예요. 사람이 사기를 치지."

최닥의 말에 유 후보가 빙그레 미소를 지었다. 토론회에서 써먹기 좋은 대사라고 생각했을까. 대선 후보를 웃게 만들었다는 사실에 최닥은 기분이 좋아졌다.

7. 8202.6% = ₩406,982,520

보통 사람들이 큰 숫자를 쉽게 세지 못하는 이유는 숫자에 쉼표를 찍는 방식과 숫자를 읽는 방식에 차이가 있기 때문이다. 우리나라에서는 네 자리, 즉 만 단위로 숫자를 끊어 읽는데 표기법으로는 세 자리마다 끊는 서양 방식을 채택해 버린 것이다. '만', '억', '경'과 '싸우전드', '밀리언', '빌리언'의 차이 때문에 혼란이 생긴다. 양쪽을 넘나들어야 하는 어려움이야 십분 이해하지만 '1,100만' 같은 표기는 좀 멍청해 보인다.

아무리 큰 숫자라도 쉽게 세는 방법이 있다. 일 십 백 천, 뒤에서부터 한 자리씩 세지 않아도 된다는 소리다. 우선 0이 열두 개 붙는 조 단위의 숫자는 그나마 읽기가 편하다. 12는 3과 4의 공배수니까. 숫자가 어마어마하게 길다 싶으면 대개 첫 쉼표 앞 숫자에 '조'를 붙이면 된다. 억 단위 숫자는 좀 더 까다롭지만 그래도 외워 두면 쉽게 읽을 수 있다. 1억에는 0이 여덟 개 붙는다. 그래서 억 단위 숫자는 총 아홉 자리가 된다. 숫자 세 개가 세 번 나왔다면, 그게 억 단위의 수다. 이해하기 쉬워서 어떤 상징처럼 느껴지기도 한다.

하지만 이번만큼은 화면에 찍힌 숫자를 빠르게 읽지 않았다. 자릿수를 꼼꼼히 셌다. 뒤에서부터 0이 몇 개가 붙었나, 쉼표가 몇 개인가 하나씩 헤아리며 계산을 했다. 결과는 매번 같았다. 우리가 보유한 래더코인의 가치는 4억이었다. 젖은 휴지를 유리창에 던진 것처럼 활자가 철썩 눈에 달라붙었다. 화면에 찍힌 숫자들이 이래도 현기의 부탁을 거절할 거냐고 묻고 있었다. 내 볼을 꿰뚫고 위장까지 내려갈 바늘에 꽂힌 떡밥이라는 걸 알면서도 물고 싶었다. 열심히 일하는 회사원이 한 해에 얼마나 저축을 할 수 있을지 계산해 봤다. 식비에 대출금, 관리비 교통비 통신비 따위를 내고 나면 아

당신의 신은 얼마

마도 1년에 2000만 원을 모으는 정도가 최선이겠지. 2억 원은 그 짓을 10년간 해야 쥘 수 있는 돈이었다. 2억 원은 10년이었다.

정의는 균형이다. 균형을 전제로 정의가 존재한다. 다시 머릿속에 저울을 소환한다. 법원에 있는 동상, 그 손에 들린 천칭이다. 저울에 올라가는 인간이 되어서는 안 된다. 저울을 들고 있는 인간이 되어야 한다. 이걸 모르는 사람들은 실패한다. 철근에 깔려 유명을 달리한 노동자, 과로로 사망한 회사원은 '사소한 부주의'나 '관리자의 일탈' 같은 표현으로 포장돼 기억에서 지워지기 마련이다. 저울에 올라간 인간이기 때문이다. 반대편에 놓인 돈보다 무게가 덜 나가는 존재인 것이다.

저울 한쪽에 박정배를, 그 반대쪽에 독립해서 살만한 집 한 채를 올려 본다. 박정배의 목숨과 내 명의로 된 가게를, 박정배의 목숨과 나의 10년을 올려놓는다. 저울은 계속 오른쪽으로 기운다. 그 너머에서 현기가 웃고 있다. 마음속 불편한 기분을 죄책감이라고 부르지 않기로 했다. 그건 면접 전의 긴장감 같은 거였다. 면접은 상대를 떨어뜨리고 올라가는 시합이다. 내가 버는 돈의 무게만큼 누군가는 살덩어리를 내놓아야 하는 것이다.

"정환이 정신 안 차리냐."

한 사장이 소리쳤다. 타이머가 울렸다. 닭을 건져 올리자 끓는 기름이 후드득 떨어졌다. 양념을 바르고 호일을 펼쳤다. 치킨을 담은 상자에 스티커를 붙인 다음 고무줄을 둘렀다. 치킨무, 콜라, 나무젓가락 두 개, 자석 붙은 전단지 한 장. 몸은 여유롭게 움직였지만 머리는 바빴다. 닭 몇 마리를 쪼개고 익혀야 2억 원을 벌 수 있을까.

돈은 욕망이 빚은 예술품이라는 사실을 미처 깨닫지 못했다. 인간의 욕망을 이해하지 못한 나의 패착이었다. 실체는 중요하지 않다. 종이 쪼가리건 금속이건 디지털로만 존재하는 개념이건, 욕망을 투영하는 데는 문제가 없다. 우리는 허상을 주고받으며 욕망을 해소하니까. 화폐는 욕망 때문에 생겨난 존재이고 인간의 욕심에는 끝이 없을 것이다. 코인의 가격은 사람들의 욕망이 들끓는 만큼 솟구칠 것이다.

퇴근 후에 아무 일 없다는 듯이 현기를 만났다. 사심 없는 척, 일을 맡겠다고 했다. 심장이 뛰지 않게, 손끝이 저리지 않게, 최대한 덤덤하게.

"그러니까 내 말은, 코인에 꼭 실체가 필요하지는 않다는 말이야."

현기는 눈을 꿈뻑거렸다.

"정환아. 나 가끔 네가 하는 말이 무슨 뜻인지 모

르겠어."

"들어 봐. 내 생각은 이래. 코인은 오히려 실체가 없기 때문에 고점을 예측할 수 없어. 가령 이 벽돌 하나가 100만 원이라면 다들 말도 안 된다고 생각하겠지? 허름한 모습이 빤히 눈에 보이니까 말이야. 게다가 흔해 빠졌고. 하지만 실체가 모호한 것들… 그러니까 꿈이라거나 운세라거나, 그런 무형의 가치라면 어떨까. 우리는 그런 대상에 훨씬 더 많은 돈을 투자하기도 하잖아. 코인은 그런 거야. 얼마든지 많이 만들 수 있으면서도 그 가치를 산정하기 애매한, 묘한 녀석이 탄생해 버린 거야."

"무슨 말인지 모르겠다니까."

"몰라도 돼. 그보다 네가 얘기한 거 있잖아. 나해 볼까 하는데."

대충 이런 식이었다. 다음 날에는 래더코인의 가격 상승 폭이 크지 않았기 때문에 현기에게 연락한 걸 후회했고, 그다음 날에는 당장 박정배를 찾아가 목구멍에 마취제를 쑤셔 넣고 싶었다. 내 의지는 래더코인의 변동성에 대롱대롱 매달려 있었다. 박정배의 목숨도 마찬가지였다.

상승하는 암호 화폐 가격을 보고 있으면 현기의 부탁이 어쩐지 아주 쉬운 일처럼 느껴졌다. 아침에 일어나서 세수를 하고 옷을 갈아입은 뒤 방문을 열고 나가 박정배에게 약을 먹이기. 잠든 걸 확인한 뒤 차에 실어서 현기 앞에 데려다 놓기. 마지막으로 약속한 수고비를 받기. 이 간단한 계획의 배경에 경비실, 이웃 주민, 경찰, 보안 카메라 같은 방해 요소는 존재하지 않았다.

며칠 후 현기는 근사한 차를 몰고 나타났다. 어떻게 구한 거냐고 물어보니 요즘 중고차 파는 일을 한다고 했다. 우리는 재개발을 앞둔 동네로 이동했다. 한 세대를 견뎌 낸 콘크리트 덩어리가 산화하기를 기다리는 곳이었다. 열대야가 기승을 부리는 새벽이었다. 아르바이트를 마치고 온 내 몸은 기름과 땀이 섞인 화장실 냄새를 풍겼다.

비슷하게 생긴 건물들이 모여 커다란 폐허를 형성하고 있었다. 건물 표면의 페인트 자국이 나무껍질처럼 일어서 있었다. 망가진 가로등과 보안 카메라는 전혀 위협이 되지 못했다. 골목은 너무 좁아 임시 주차장으로도 쓸 수가 없었다. 2600세대에 달하는 재개발 구역은 자연히 청소년들의 탈선장소가 되었다. 입구마다 출입 금지 테이프와 스티커, 경고 문구가 부착돼 있었지만 은밀한 곳을 찾는 아이들의 침입을 막지는 못했다. 우리는 2층 건물의 옥상에 자리를 잡았다.

"여기서 뭘 할 건데?"
"박정배 집이 여기서 가까워. 우선 근처 지리 좀

익혀야겠고, 훈련도 해야지. 너 여기서 뛸 수 있
겠어?"

현기가 아래를 가리켰다. 불빛이 어른거리는 집
으로 나방이 날아들었다. 폐자재에서는 흙먼지가
피었다.

"뛰어내리라고?"
"응. 할 수 있어?"
"여기서 떨어지면 다리가 부러질 텐데."
"안 부러져. 이 일에 필요한 건 튼튼한 뼈가 아니
라 용기야."
"이런 것도 해야 해?"
"해, 정환아. 얼른. 하라고."

현기가 등을 밀었다. 뛰어내리면 다칠 정도로 높
지는 않았지만 주위가 어두웠기 때문에 착지 지점
을 잡기가 어려웠다. 꺅. 비명을 지르며 추락한 나
는 발가락을 살짝 접질렸고 손바닥에 찰과상을 입
었다. 현기는 시범 조교처럼 내가 버둥거리는 모습
을 지켜보기만 했다.

주문은 그걸로 끝나지 않았다. 나는 골목 끝에서
끝까지 전력으로 달렸고 플라스틱 파이프를 들고
스윙 연습을 했다. 현기는 어깨높이에 사람 머리가
있다 가정하고 관자놀이를 겨냥한다는 느낌으로
파이프를 휘두르라고 했다. 과연 파이프에서는 제
대로 맞으면 일어서기 힘들겠다 싶을 만큼 바람 소

리가 났다. 마지막에는 돌멩이를 던져 유리창을 깨
뜨려야 했다. 그게 가장 힘들었다. 캐치볼 한 번 제
대로 해 본 적이 없는 어깨는 수시로 삐걱거렸고
돌멩이는 창문에서 멀찍이 떨어진 곳만 맞혔다.

"너 운동은 진짜 안 했구나."
"현기야, 그런데 이런 연습이 정말 필요해?"
"무슨 일이 벌어질지 모르니까."
"넌 할 수 있어?"

현기는 적당한 크기의 돌멩이를 집어 들고 준비
동작도 없이 팔을 뿌렸다. 손을 떠난 돌멩이가 시원
하게 날아가 유리창을 깼다. 밤의 정적을 날려 버리
는 소음과 함께 건물 안에서 비명 소리가 들렸다.

"사람이 있나 봐."

내가 걱정스레 말했다. 현기는 폐자재 속에 섞여
있는 담배꽁초와 라면 봉지를 가리켰다.

"집 나온 애들이 여기서 며칠씩 지낸다 그랬잖아."

현기는 벽을 가득 채운 조악한 낙서 앞에 섰다.
철거 예정이라는 뜻의 붉은 엑스 위에 가슴 그림이
그려져 있었고 그 아래 FUCK와 SEX 같은 글자가
휘갈겨져 있었다. 바닥에는 페인트 스프레이가 뒹
굴었다. 현기가 마지막 과제를 냈다.

"안에 들어가서 아무나 한 대 때리고 와. 증거로

당신의 신은 얼마

얼굴에 이걸 뿌리고."

현기는 바닥에서 주운 페인트 스프레이를 내밀었다.

"이게 마지막이지?"

"응. 마지막."

나는 집 안으로 들어갔다. 어둠에 눈이 익숙해지기를 기다렸다. 유리창이 깨진 거실에 남자고 여자고 한데 섞여 있었다. 가스버너와 생수통이 발에 채였다. 누군가 잠꼬대를 했지만 일어나는 사람은 없었다. 콘크리트 벽이 머금고 있던 담배 냄새가 기어 나왔다. 녹색 모기향이 재가 되어 유적처럼 떨어져 있었고 뚫린 창문으로 날파리가 날아들었다. 나는 문에서 가장 가까운 곳에 누워 있던 녀석을 골랐다. 셔츠를 가슴까지 끌어 올린 남자애였다. 그 얼굴에 스프레이로 엑스 자를 그렸다. 독한 가스 냄새를 맡은 녀석이 비명을 지르며 얼굴을 문질렀다. 눈앞에 과녁 같은 엑스 자가 보였다. 나는 녀석의 얼굴을 후려친 뒤 밖으로 나왔다.

"튀어."

골목 입구에서 기다리던 현기가 소리쳤다. 후미진 거리를 빠져나가는 현기의 그림자를 따라 달렸다. 아이들 몇이 웃통을 벗어 던진 채 우리를 쫓았다. 운동화를 구겨 신은 데다 잠이 덜 깬 터라 쉽게 따라오지는 못했다. 아이들은 가까워지다 멀어졌고, 재개발 지역 일대를 빠져나왔을 때쯤엔 아무도 따라오지 않았다. 나는 무릎 위에 손을 얹고 숨을 골랐다.

"오늘 한 것들이 다 뭐야."
"테스트라니까. 여차하면 달아나야 하잖아. 괜히 잡혀서 좋을 것도 없고."
"얼굴에 스프레이는 왜 뿌리라고 한 건데?"
"하라는 대로 다 하길래 재미있어서."

현기가 킥킥 웃었다. 어쩌면 현기는 이 모든 과정을 게임이라고 여기는 건지도 모르겠다는 생각이 들었다. 나는 조이스틱이 지시하는 대로 움직이는 캐릭터겠지. 우리는 한 스테이지를 넘어섰고, 현기는 정말로 다음 스테이지에 진입할 생각이었다. 현기가 찰싹 소리가 나게 내 뺨을 때렸다. 아프지는 않았다.

"정환아. 이거 아무것도 아니야. 닭 손질하는 거랑 비슷해. 만에 하나 걸린다고 쳐도 괜찮아. 넌 초범인 데다 납치만 한 거야. 그것도 내가 시켜서. 마지막에는 내가 알아서 한다니까. 잘하면 과실치사로 집행유예만 받고 끝날 거야. 너 좋아하는 숫자로 계산해 봐. 어느 쪽이 득인가."
"확실하지? 마지막 일은 네가 하는 거지? 난 재워서 데려오기만 하면 되지?"

당신의 신은 얼마

현기는 계약서 도장을 찍듯이 내가 한 말을 그대로 되풀이했다.

"마지막에는 내가 해. 넌 재워서 데려오면 돼."
"그런데 그 사람은 무슨 죄를 지었어? 어떤 사람이야? 나이는?"
"쓰레기를 버릴 때 내용물을 다 확인하나. 그냥 치워. 치우고 수고비를 받아. 그래야 돈을 벌어."

현기가 한쪽 입꼬리만 끌어 올려 웃었다. 내가 재차 물었다.

"박정배는 무슨 일을 하는데?"
"음식 배달. 그런데 시원찮아 보여. 일을 제대로 하는 것 같지도 않아. 내 말 믿어. 박정배는 사회에 도움이 안 되는 인간이야. 너도 잠깐만 지켜보면 알게 될 거야."
"어떻게 하면 돼?"
"방법은 네가 생각해야지. 넌 머리가 좋으니까 잘할 거야. 내가 쓸 만한 물건들을 구해 줄게. 졸피뎀 같은 거 말이야. 구할 수 있는 곳을 알아. 그걸 먹이면 금방 잠이 들 거야. 피가 빨리 돌면 효과가 더 좋을 거고. 목욕 후에 먹인다거나…. 찜질방에서 먹여도 좋겠지만 거기엔 보는 눈이 많아서 힘들겠지. 자연스럽게 먹이는 게 제일 좋은데…. 그래, 집에 들어가서 음식에 뿌려도 좋겠다."

"집에는 어떻게 들어가? 초대라도 받을까? 게임
도 한 판 하고?"

"정환이 너 이게 장난 같냐?"

현기가 눈을 똑바로 뜨고 있었다.

"진지하게 좀 하자. 시키는 대로. 응?"

나는 고개를 끄덕였다. 시키는 대로만 하면 된다
는 말이 면죄부가 되었다. 내가 박정배를 납치하는
이유는 내가 나쁜 인간이라서가 아니라 사회가 잘
못됐기 때문이라는 생각. 그게 필요했다. 당위, 변
명, 명분.

노력이 성공을 보장하는 것은 아니다. 칠전팔기
따위의 이야기는 그럴듯한 신화에 불과하다. 실패
를 두려워하지 않고 전력투구를 할 수 있는 자들은
성공했거나, 혹은 성공한 부모를 둔 자들이다. 든
든한 배경이 있어야 실패도 할 수 있다. 그렇지 못
한 우리는 낙마를 두려워하며 전전긍긍 살아간다.
딱 한 번의 실패가 여생을 지옥으로 만들 수 있다
는 사실을 상기하며 불안에 떤다. 사회는 그런 불
안을 이용한다. 수많은 청춘들이 온갖 이유로 빚을
지게 만든다. 은행은 정밀하게 계산한 수식을 기반
으로 우리가 죽지 않을 만큼의 대출금을, 죽어라
일해야 갚을 수 있을 정도의 이자를 책정해 빌려준
다. 이 사회에서 신과 악마는 모두 같은 얼굴을 하

고 있다. 둘은 숫자의 형상으로 이 땅에 현신한다.

각자가 가질 수 있는 숫자의 크기는 공평하지 않다. 모두는 같은 경연장에 있지만 신발 굽 높이부터 각자를 비추는 조명 세기까지 저마다 다르다. 수능 성적표를 받아 들 때부터, 태어날 때부터, 어쩌면 태어나기 전부터, 우승자 타이틀을 얻을 사람은 이미 정해져 있는지도 모른다.

먼저 태어난 것들이 이런 세상을 만들어 놓았으니, 우리는 그저 가슴에 비수 하나 꽂고 살아갈 뿐이다. 이 비수로 뭐라도 찔러야 시궁창을 벗어날 수 있는 것이다.

*

"이제 슬슬 래더코인 상장 당시 이야기를 듣고 싶어요."

정책 본부장이 말했다. 최닥은 이 바닥에 발을 들이기 전의 일상을 떠올렸다. 동굴 같은 입속과 잇몸, 그 속을 지나는 신경, 복잡하게 자리 잡은 치아를 뽑고 자르고 교정하는 작업과 그 반복되는 손놀림이 가져다주는 안온함을. 한편으로는 지루했던, 그래서 벗어나고 싶었던 단조로운 날들을. 상장을 준비하며 느꼈던 가벼운 흥분과 불안이 뒤따라 생각났다.

"코인을 발행할 때는 거래소에 물량 리포트를 보내게 돼 있어요. 정식 등록 절차가 끝나면 거래소에 상장을 하는 개념인데, 우리는 그 전에 코인을 다 쪼개 놨어요. 차명 계좌 수십 개를 확보해서요. 보고한 것보다 많은 코인을 갖고 시작하는 거예요."

"왜 그런 작업이 필요하죠?"

유 후보의 질문이었다.

"소수의 사람들이 코인을 독점하고 있다, 그러니까 코인을 발행한 회사가 전체 물량을 쥐고 있다는 분위기를 풍기면 개인 투자자 입장에서는 위험한 자산이라 생각할 테니까요. 사전에 대중성을 확보해 두는 건데, 사실은 숨겨진 코인을 모두 우리가 관리하는 거죠."

"들킬 일은 없나요? 그러니까, 거래소가 조사를 하지 않나 해서요."

"그럴 만한 역량이 없는 곳이 대부분이에요. 심지어 어떤 거래소는 MM이랑 코인 발행 업체랑 삼자 계약을 맺어요. 그래야 시세 조작이 쉬우니까요."

"MM과 거래소가 연결돼 있다고요? 그럼 거래소에서 의도적으로 특정 코인만 밀어줄 수도 있겠네요?"

유 후보는 확신을 갖기 위해 비슷한 질문을 몇 번씩 반복하는 성격이었다. 어떤 면에서 유 후보의 질문법은 검사의 취조 방식과 닮았다.

"그럼요."

거래소 출신의 양 이사가 투자사를 설립한 이유였다. 플랫업 소속이었던 양 이사가 설립한 프라임 캐피털 파트너스가 MM과 연계를 하는 순간 삼자 계약이 마무리되는 것이다.

"그런 식으로 돈 번 곳도 많아요. 거래소 직원들한테 상장 전에 미리 코인을 쥐여 주면 알아서 띄워 줘요. 그런데 이제는 그런 상장사들이 워낙 많고 거래소 신뢰도 문제도 있으니까 아무하고나 손을 잡지는 않죠."

"래더코인이 그렇게 떴다는 소리로 들리네요."

"맞아요."

"그 거래소가 어디예요?"

"플랫업요."

"플랫업이라면, 아직도 정상 영업 중인 곳이네요?"

"네. 금감원한테 얻어맞기 전까지는 계속할 거예요."

"금감원은 왜 움직이지 않았죠?"

"사람들 돈 수백 억이 들어가 있는 거래소를 폐쇄하는 일인걸요. 그게 쉬울까요. 선거가 얼마 안 남았잖아요. 표가 얼마나 떨어져 나갈지 생각해 보면 정치권에서도 조심할 수밖에 없죠. 금감

원장 임명안은 금융위원장이 제청하고, 금융위
원장 임명안은 국무총리가 제청해요. 누군가가
국무총리가 되려면 국회의 동의를 얻어야 하죠.
이 모든 자리의 임명 권한은 대통령에게 있어요.
대통령 후보는 정당에서 선출되고 정당한테는
지지 세력이 필요하죠. 지금 그 지지 세력들이
죄다 코인판만 바라보고 있잖아요."

8. 8387.7% = ₩416,167,110

가게를 쉬는 날마다 현기를 만났다. 예행연습을
위해서라고 했지만 현기가 딱히 거창한 작전을 준
비한 건 아니었다. 우리는 재개발 지역 건물의 옥
상에서 군것질거리를 늘어놓고, 지나가는 사람들
을 구경하는 데 대부분의 시간을 할애했다. 그러는
동안에는 내가 계획 중인 범죄가 아무 문제도 없는
일인 듯했다. 어쩌면 현기가 노린 게 그런 것인지
도 모른다. 익숙해지고, 무뎌지는 것.

"난 제복 입은 여자가 그렇게 좋더라."

현기가 말했다. 2인 1조 순찰대가 언덕을 내려가
는 중이었다. 제복은 날 흥분시킬 때가 있다. 혜영
이 경찰복을 입으면 어떤 느낌일지 궁금했다. 여리
여리한 몸이 제복 속에 들어간 모습을 상상하면 배
꼽 아래가 간질거렸다. 현기는 순찰대가 골목을 꺾

어 사라질 때까지 지켜본 뒤에 라면 스프 크기의 비닐 팩 여러 개를 건넸다. 전에 말한 졸피뎀이었다. 비닐 팩마다 하얀 가루가 같은 양으로 소분돼 담겨 있었다. 그 옆에는 한 뼘 크기의 식칼이 놓였다.

"칼은 왜?"
"혹시 모르잖아."
"난 이런 거 안 써."
"알지. 알아. 쓰지 마. 그런데 만약이라는 게 있잖아. 만약에, 어쩔 수 없는 상황이 생기면 쓸 수도 있다는 거야."

어쩌면 내가 직접 사람의 다리나 손에, 허벅지에, 아니면 심장이나 폐에 칼을 쑤셔 넣어야 할지도 모른다는 이야기였다. 생의 살덩이를 가르고 칼이 쑥 들어온 듯한 느낌이 들었다. 나는 누가 보기전에 얼른 가방에 칼을 집어넣었다.

"이 약, 효과가 있어?"
"보여 줘?"

현기가 비닐 팩을 열어 소시지에 가루를 묻힌 뒤 멀찍이 던져 놓았다. 잠시 후 냄새를 맡은 고양이가 나타났다. 경계심 많은 고양이는 소시지 끄트머리에만 입을 갖다 댔다. 우리는 숨을 죽였다. 고양이는 소시지를 조금 더 베어 물었고, 우리를 보며 야옹 하고 울었다. 그런 뒤에는 허겁지겁 식사를 시작했다. 가루는 순식간에 흔적을 감췄다. 햇빛이 가만히 우리를 비췄고 한동안 아무 일도 벌어지지 않았다.

"멀쩡한데?"
"기다려 봐."

한낮의 태양 아래에서 고양이는 조금씩 비틀거리기 시작했다. 느슨한 바람결에도 흔들리는지 균형을 잡지 못했다. 현기가 벌떡 일어섰다. 고양이는 털을 바짝 세워 경계했지만 땅이 어디 있는지조차 가늠하지 못하는 것 같았다. 허공에 헛발질을 했고, 힘없는 하악질이 이어졌다. 현기가 목덜미를 쥐었을 때 고양이는 이미 축 늘어져 움직이지 않았다.

나는 차근차근 납치 계획을 짰다. 박정배의 일과와 주변 인물을 확인하는 것이 우선이고, 시간대별 동선을 확인한 뒤 시뮬레이션 작업을 하는 것이 그다음에 할 일이었다. 박정배는 보통 낮부터 늦은 밤까지 배달 일을 했다. 재개발 지역에서 한 정거장 거리에 있는 아파트에 살고 있으며 집에 돌아오면 식사를 한 뒤 바로 잠자리에 들었다. 현기가 도어 록 비밀번호를 알려 줬다.

"그걸 어떻게 알았어?"
"내가 뭐 하다 잡혔는지 잊었냐."

박정배의 집은 낡은 복도식 아파트였다. 재개발

을 얘기할 만큼 오래되지는 않았다. 가장 가까운 버스 정류장까지는 10분, 지하철역까지는 20분이 걸렸으며 근처에 이렇다 할 학군이 형성된 곳은 아니었다. 한때 거점 개발 지역으로 지목되며 인기를 끌었던 적도 있으나 개발 계획은 정권이 교체될 때마다 지역 국회의원들이 내세우는 공허한 공약의 일환일 뿐이었다.

폭염 특보가 내려진 날의 오후였다. 아스팔트가 운동화 바닥에 쩍쩍 달라붙었다. 골반 아래로 힘없이 흘러내리는 바지를 추켜올리며 계획을 읊었다. 박정배가 일하러 나간 시간, 문을 열고 들어간다. 냉장고에서 김치 같은 반찬을 찾아 졸피뎀을 뿌린다. 술병이 있다면 그 안에 뿌려도 좋다. 박정배가 돌아오고 집의 불이 꺼지는 걸 확인한 뒤 잠든 박정배를 차에 싣는다. 현기에게 연락한다.

아파트 입구에 들어설 때까지만 해도 모든 과정이 쉽게만 여겨졌다. 사람들은 더위에 짜증이 나 있었고 경비원은 부채질을 하다 꾸벅꾸벅 졸고 있었다. 한가해 보이는 고양이들은 그늘을 찾아 바닥에 등을 비비는 중이었다. 현관문 비밀번호는 5555였다. 밋밋한 공간이 모습을 드러냈다. 방 두 개, 화장실 하나, 베란다 하나로 구성된 작은 아파트였다. 작은 방 한쪽 벽을 차지한 2단 행거에는 의류 수거함에 들어 있어야 할 법한 옷만 가득했다. 범죄자의 집이라는 생각은 들지 않았다. 곰팡이 핀 벽지, 핏자국이 말라붙은 장판과 수챗구멍을 막은 머리카락의 이미지를 떠올렸던 나는 좀 부끄러워졌다.

냉장고는 주방과 거실의 경계면에 있었다. 문을 열자 오래된 가스 냄새가 신물처럼 올라왔다. 먹고 남은 배달 음식의 양념과 시든 채소만 놓여 있었다. 졸피뎀을 뿌릴 만한 음식은 보이지 않았다. 집 전체에 유기물이라고는 하나도 존재하지 않는 것 같았다.

허탈한 마음으로 거실에 앉았다. 매미가 울었고 볕은 뜨거웠다. 타인의 집에 버젓이 앉아 있는 상황이 심각하게 여겨지지는 않았다. 마치 연극 무대에 선 배우가 된 나를 내려다보는 느낌이었다. 배우가 맡은 배역은 능청맞고 대범한 성격에 수세에 몰려서 거칠 것이 없는 남자였다. 남자는 조급해하지 않았다. 세상에 불만이 많았지만 투정이나 부리는 어린애는 아니었다. 느긋한 태도로 주위를 관조했고 상황을 이해하는 능력이 탁월했다. 화장실에서 오줌을 누고 세수도 했다. 그걸로는 좀 성에 차지 않아 머리도 감았다. 선풍기를 틀고 바닥에 누웠다. 마루에 깔린 대자리가 시원했다. 혼자 집에 있을 때의 편안함을 만끽했다. 모두가 출근한 오후, 희미한 청소기 소리, 놀이터에서 노는 아이들의 소리, 선풍기 바람. 남자는 깜빡 잠이 들었다.

당신의 신은 얼마

눈을 떴을 때는 여전히 한낮이었다. 잠시 졸았을 뿐인데 몸이 무척 개운해졌다. 뻑뻑한 눈을 비비며 하품을 했다. 복도에서 사각거리는 발소리가 들렸고 이 아파트는 참 방음이 안 되는구나 생각했다. 문 앞에 멈춰 선 누군가는 도어 록 커버를 들어 올렸다. 띠리딕, 울리는 전자음에 몸을 일으켰다.

아. 박정배가 돌아왔…

나는 선풍기를 끄고 현관에 벗어 둔 신발을 챙겼다. 사방이 훤히 트인 집이라 몸을 숨길 만한 곳이라고는 베란다밖에 떠오르지 않았다. 방향을 트는 순간 멀티탭에 발이 걸리고 말았다. 몸이 공중에 붕 뜨는가 싶더니 턱이 바닥을 강타했다. 몸에 깔린 손가락은 원래 움직여야 할 방향의 반대편으로 꺾였다. 아득한 통증이 전신으로 퍼졌다. 나는 비명을 집어삼키며 볕이 뜨겁게 내리쬐는 베란다 타일 바닥에 엎드렸다. 박정배가 들어오는 순간 거의 동시에 몸을 숨겼다.

박정배는 집으로 들어서자마자 헬멧을 벗었다. 구불구불하게 젖은 머리가 드러났다. 선이 가느다란 주름이 얼굴에 가득했다. 40대 중반이라고 했는데 좋게 봐 줘도 50대 초반으로 보였다. 거실 구석에 작업복을 던져두고 박정배는 싱크대로 향했다. 속옷 차림으로 수돗물을 들이켰다. 볼록한 아랫배, 마른 몸에서 뻗어 나온 가느다란 팔다리가 촉수를 펼친 해산물을 연상시켰다.

나는 바다와 한 몸이 되어 미동도 하지 않은 채로 나갈 기회만 찾고 있었다. 박정배는 선풍기 바람을 맞으며 무생물처럼 누워 있을 뿐이었다. 그 끔찍한 시간을 버텨 내는 사이 베란다 온도가 오르기 시작했다. 티셔츠는 땀으로 젖었고 뙤약볕이 가시처럼 피부를 쏘았다. 달궈진 몸의 왼쪽에서 치킨 익는 냄새가 났다. 고막이 부풀어 올랐고 후텁한 공기가 기도를 쳐올렸다. 나는 거실보다 겨우 한 뼘밖에 낮지 않은 베란다의 좁은 공간에서 몸을 비틀며 좀 더 나은 자세를 찾으려 애썼다. 열기보다 견디기 힘든 건 긴장감이었다. 혹여 박정배가 베란다로 나오지 않을까, 심장 박동의 가느다란 진동마저 부담스러워 눈을 질끈 감았다.

어깨가 벌겋게 익어 버린 뒤에야 코 고는 소리가 구원처럼 다가왔다. 나는 천천히 고개를 들었다. 선풍기 아래 박정배가 누워 있었다. 목을 긁으며 입맛을 다시는 중이었다. 강풍에 맞춰 둔 팬 소리가 요란했다. 나는 우선 상체를 일으켰다. 햇빛에 노출된 팔과 다리가 함께 쓰라렸다. 아까 바닥에 부딪힌 턱에서 둔탁한 통증이 터져 나왔다. 몸을 낮추고 거실로 돌아가는 데에 한 세월이 걸렸다.

빨라지면 안 돼. 조급해지면 안 돼. 들숨에 한 걸음, 날숨에 또 한 걸음. 숨을 죽이고 박정배 옆을 천천히 걸었다. 박정배가 몸을 뒤척였다. 살짝 벌어진 눈 사이로 눈동자가 희끄무레 나를 향했다. 심장이 아랫배까지 주르륵 자유낙하하는 느낌이 들었다. 나를 봤을까. 저 눈이 나를 보고 있는 걸까. 꼼짝 않고 그 자리에서 기다리는 시간이 영원 같았다. 박정배의 눈은 가느다랗게 벌어진 채 움직이지 않았다.

느리게 흐르던 시간은 알루미늄 문고리의 찬 기운이 손에 닿는 순간 제 속도를 되찾았다. 현관문이 열리는 순간 밖으로 뛰쳐나와 뒤도 돌아보지 않고 달렸다. 엘리베이터는 12층에 멈춰 있었다. 버튼을 누르고 벽에 기대섰다. 혹시라도 현관문이 덜컥 열릴까 봐, 박정배가 달려 나와 넌 누구냐고 몰아세울까 봐 잔뜩 긴장한 상태로 시선을 줄곧 박정배의 집에 고정시켰다. 턱은 벌에 쏘인 것처럼 부어 있었고 손가락에는 감각이 없었다. 엘리베이터는 여전히 12층에서 움직일 생각을 하지 않았다. 나는 계단을 택했다. 복도는 그늘이었다. 방금 전까지 땡볕에 놓여 신음하던 내게 낙차 큰 추위가 다가왔다. 몸이 덜덜 떨렸다.

가게에는 10분 정도 지각했다. 다행히 한 사장이 출근하기 전이었다. 나는 일을 망쳤다는 자책감으로 무너지기 직전이었다. 마스크를 벗기 무섭게 혜영이 소리쳤다.

"턱이 왜 그래요? 다쳤어요?"

"넘어졌어. 이 앞에서. 휴대폰 보고 걷다가 보도
블록에 걸려서… 넘어지는데 폰이 망가질까 봐
팔을 못 짚어서…."

생각이 많으니 변명이 길어졌다. 혜영은 변명에
는 관심 없다는 듯 이야기를 중단시키고 조심스레
내 턱을 만졌다.

"아프겠다. 조심해야죠."

따뜻한 기운이 파도처럼 밀려왔다. 혜영의 손에
서 좋은 향이 났다. 아직 가시지 않은 긴장과 불안,
혜영을 마주한 흥분이 뒤섞여 토할 것 같았다. 달
뜬 마음을 가라앉혀야 했다.

"혜영아. 바빠? 시간 되면 음료수 한잔할까? 뭐
마실래. 내가 사 올게."

"같이 가요, 오빠."

오빠. 이 단어는 어쩜 이렇게 사람을 두근거리게
만들까. 예리가 나를 부를 때와는 전혀 다른 감정
이 느껴졌다. 뭉클하다고 할까 몽실거린다고 할까,
설렘으로 가득한 에너지가 전달되는 기분이었다.

나는 에너지 드링크를 집었고 혜영은 밀크티를
선택했다. 우리나라에서 가장 많이 팔리는 음료 1

위에서 3위까지는 모두 탄산음료와 스포츠 음료다. 주스와 커피가 그 뒤를 잇는다. 순위표를 뒤쪽까지 확인하지 않는 이상 밀크티가 보일 일은 없다. 국내에서는 마니악한 음료인 셈이다. 과연 취향마저 남다른 혜영이었다.

계산을 하려는데 지갑이 보이지 않았다. 편의점 카운터 앞에서 나는 바보처럼 몸을 더듬었다. 애써 찾은 평정심을 잃었다. 불길한 생각이 밀려오기 시작했다.

"지갑 안 갖고 왔어요? 괜찮아요. 제가 살게요."

그런 문제가 아니었다. 나는 태어나서 한 번도 지갑을 잃어버린 적이 없다. 휴대폰이나 열쇠를 집에 두고 나오는 법도 없다. 바지 오른쪽 앞주머니에 휴대폰, 왼쪽 앞주머니에 지갑, 오른쪽 뒷주머니에 열쇠, 왼쪽 뒷주머니에 이어폰. 가방 제일 앞 주머니에 물티슈와 로션, 위쪽 주머니에 선글라스, 가방 속에는 태블릿 PC와 보조 배터리. 집을 떠나기 전이 중에서 빠진 것이 없는지 반드시 확인한다.

정말로 지갑이 사라졌다면 박정배 집에 놓고 온 것이 분명했다. 누군가 길에서 주웠다면 지금쯤 연락이 왔을 테니까. 지갑에는 내 신분과 연락처를 증명해 줄 내용물이 가득했다.

그날엔 실수가 잦았다. 튀김옷을 묻히지 않은 닭

을 기름에 집어넣기도 했고 순살 주문인데 뼈를 잘
못 내놓기도 했다. 주문이 밀렸다. 한 사장은 자꾸
실수하면 그 값만큼 월급에서 깎을 거라고 엄포를
놓다가 나중에는 직접 주방에 들어와 일을 지시하
기 시작했다. 한 사장이 주방에 들어오는 걸 누구도
달가워하지 않았다. 그건 알아서 잘 돌아가던 조직
에 불필요한 관리자가 추가된다는 뜻이었고, 그 불
필요한 관리자는 현장의 생리를 이해하지 못하는
경우가 대부분이었으니까. 함께 일하던 주방 직원
들의 원망이 들리는 듯했지만 그런 소리에 신경 쓸
겨를이 없었다. 한 사장의 잔소리는 규산마그네슘
을 투입할 때가 되어서야 끝이 났다. 기름을 정제하
는 그 시간이 잠시 숨을 돌릴 타이밍이었다.

수건으로 얼굴을 닦으며 홀에 앉아 있는데 검은
헬멧과 마스크로 얼굴을 가린 배달원이 가게를 찾
았다. 밀린 주문은 없었기 때문에 한 사장은 혜영
과 배달원을 번갈아 보며 물었다.

"뭐야. 배달 안 나간 거 있었어?"
"없는데요."

배달원은 곧장 카운터로 걸어와 헬멧 실드를 올
렸다. 조금 지쳤고, 짜증이 나 있고, 한편으로 무기
력해 보이는 박정배가 헬멧 속에서 얼굴을 찌그러
뜨리고 있었다.

"여기 이정환 씨 있어요?"

당신의 신은 얼마

한 사장이 날 가리켰다.

내 사고실험과 계산 속에서 박정배는 순수한 피해자였다. 약에 취해 잠들어 있어야 했고 어깨에 들쳐 메고 나르면 되는 존재라야 했다. 두 발로 걸어서 내 앞에 서 있는, 게다가 말을 하는 박정배는 상상한 적이 없었다. 박정배가 안주머니에 손을 집어넣었다. 그리고 뭔가를 꺼내는 그 짧은 시간 동안 나는 무기가 될 만한 뭔가를 찾고 있었다. 의자, 혹은 포크. 주방까지 달려가 칼을 들거나 끓는 기름을 붓는 것도 괜찮을 것이다.

박정배는 지갑을 내밀었다. 내 것이지만 어쩐지 쉽게 받아서는 안 될 것 같다는 생각이 들었다. 박정배는 팔을 좀 더 앞으로 뻗었고, 지갑은 노크하듯 내 가슴을 건드렸다. 헬멧 아래 드러난 박정배의 젖은 머리가 이마에 착 달라붙어 있었다.

"이 지갑이 우리 집 앞에 있더라고."
"고맙습니다."

지갑을 받으려는 순간 박정배는 손목을 홱 틀었다. 내 손은 어색하게 허공에 머물렀다.

"왜 이게 우리 집 앞에 있었을까."
"아. 지나가다 흘린 모양이네요."
"이정환…. 너 우리 아파트 살아? 본 적 없는데?"

박정배가 무뚝뚝한 표정으로 손톱 옆 굳은살을

뜯어 뺐었다. 나는 다른 사람이 우리 대화를 듣지 못하도록 박정배를 가게 구석으로 데려갔다. 이동하는 사이, 적절한 변명이 있을까 생각했다.

"전단지 돌리려고 올라갔었어요."

생각도 않고 냅다 꺼낸 말이 그럴듯했다. 나는 출근하기 전 남는 시간을 이용해 집에서 가게로 오는 길에 전단지를 돌린 것이다. 박정배는 다시 지갑을 건넸다.

"그런데 전단지는 안 보이던데."
"경비 아저씨가 치웠나 봐요."

덤덤하게 이어지는 질문이 어쩜 날카로웠다. 박정배는 빈 테이블에 헬멧을 올려놓고 물을 가져와 홀짝였다. 넓은 이마가 조명 아래 반짝였다.

"근데 너는 닭 한 마리도 안 주냐? 안 고마워?"
"아…. 그럼 한 마리…"
"농담이야, 새꺄."

눈이 마주치는 순간 박정배가 씩 웃는데 이 하나가 보이지 않았다. 마구 사는 인간이구나. 그런 생각을 하니 덜컥 두려웠다. 팔뚝에 죽죽 그어 내린, 칼자국으로 보이는 흉터도 터무니없었다.

물컵을 비운 박정배는 가게를 떠났다. 찜찜한 기분이 사라지지 않았다. 박정배는 분명 뭔가를 의심하고 있었다. 그런 시선이었다. 축축한 눈길로 겁

당신의 신은 얼마

먹은 내 얼굴을 더듬었다.

*

　MM은 다양한 이름으로 오픈 채팅 리딩방에 침투해 있었다. 누군가는 사회에 막 발을 내민 신입 사원이었고 누군가는 MM 덕에 많은 돈을 번 베테랑이었다. 어떤 사람은 나이 지긋한 사업가, 어떤 사람은 아르바이트로 번 돈을 차곡차곡 투자하는 청년의 모습을 하고 있었다. 정체를 드러내고 활동하는 사람들도 있었다. 최닥이 활동하는 리딩방에는 공지 사항을 띄우거나 일정을 안내하는 등 채널 운영을 담당하는 팀장이 있었고 수시로 관련 정보를 전달해서 자유로운 투자 활동을 돕는 실장이 있었다. 예언을 하듯 어떤 코인을 언제 사고 팔지 점지해 주는 건 부장의 역할이었는데 부장은 하루에 딱 한 번, 밤 10시에만 등장했다.

　부장의 예언은 신기하리만치 적중했다. 양 이사가 플랫업으로부터 받은 시장 정보를 사전에 공유해서 가능한 일이었다. 플랫업은 세력들이 어떤 코인을 조작하려 하는지 대략적인 정보를 파악하고 있었고 그 내용은 프라임 캐피털 파트너스에게도 공유됐다. 작전이 들어가기 전에 양 이사가 MM에게 필터링한 정보를 전달하면 MM은 다시 리딩방에 그 내용을 흘렸다.

정보를 흘리는 시기와 세력이 작업을 시작하는 시기 사이의 간격이 넓지 않아 리딩방에 참여한 사람들이 큰 수익을 내는 일은 드물었다. 때로는 MM이 이미 가격이 상승한 코인 정보를 마치 예언인 양 올려 놓을 때도 있었다. 어쩌다 리딩방 정보의 신뢰성에 대해 의문을 표하는 사람들은 얼마 지나지 않아 일반인의 모습으로 암약하던 MM 멤버들에게 갖은 비난을 받으며 축출되었다. 작업이 진행될수록 MM에 대한 신뢰는 탄탄해졌다.

어떤 리딩방은 유료로 운영됐다. 무료 리딩방에 조작 내용을 알리기 전에 유료 방에 정보를 공유하는 경우가 있었기 때문에 유료 리딩방 참여자가 회비 이상의 수익을 내는 일이 더러 생겼다. 소문이 퍼지니 유료 리딩방에 참여하려는 사람들이 늘어났다. 정보를 받아 가는 이들은 이리도 쉽게 유통되는 정보가 미끼라는 걸 몰랐을까. 자신들이 정보를 확인하는 순간 투자에 나선다 해도 때는 이미 늦었다는 걸, 사람들이 몰려들고 투자금이 늘어나기 시작하면 이 상황을 기획한 이들은 매도를 준비하고 있으리라는 걸 몰랐을까.

알고 있었을 것이다. 하지만 리딩방을 지켜보던 최담은 대화 사이에 흐르는 미묘한 신념을 확인할 수 있었다. 최후의 희생자는 내가 아닐 거라는 확신이었다. 그 많은 사람들이 폭탄을 돌리면서, 최고점에서 매수 버튼을 누르는 사람은 자신이 아닐 거라 믿었다. 자신이 투자하는 시점은 남들보다 조금은 더 빠른 순간일 것이라고, 매수 후에 곧바로 매도를 한다면 조금 더 운이 나쁜 누군가에게 폭탄을 건네면서 자신은 빠져나올 수 있을 거라고 생각하는 것이다.

그런 믿음에 불을 붙인 건 언론이었다. 리딩방이 성행하기 시작할 당시 금융 당국의 관계자와 전문가들은 사기 행각을 벌이는 리딩방이 난무해 향후 소비자들의 큰 피해가 예상된다고 입을 모았다. 하지만 사람들의 시선은 희박한 확률을 뚫고 커다란 부를 획득한 누군가가 있다는 사실, 그 희미한 가능성에 날아가 꽂혔다. 기사가 뜰 때마다 리딩방 참가자가 배수로 늘어났다.

사람들은 위험에 끌렸다. 위험은 기회를 의미했다. 남들이 지나가면서 다져 놓은 안전한 땅만 밟아서는 금맥을 발견할 수 없다. 펄과 늪 위를 걸어야, 아직 길이 아닌 곳을 폭파시키고 그 아래로 기어들어야 하는 것이다. 최닥은 묘한 희열을 느꼈다. 자신이 선 곳은 안전지대 안쪽이기 때문이었다. 지뢰밭을 기어다니는 인생들을 멀리서 지켜보고 있으면, 그리고 언젠가 살아남은 이에게 작은 보상을 베풀어 줄 것을 상상하면, 아랫도리가 후끈

후끈해지고 단단해지면서 남들 위에 군림하는 존재가 된 것 같은 착각에 빠지곤 했다.

9. 8576.4% = ₩425,527,440

비밀번호 입력란에서 커서가 점멸했다. 나는 신중하게 글자와 숫자를 번갈아 입력했다. 현기의 생년월일. 고등학교 시절 반과 번호. 0 다섯 개. ㅎ, ㅕ, ㄴ, ㄱ, ㅣ. 어느 것도 맞지 않았다. 나는 실제 비밀번호일 확률이 높은 몇 가지 문자열을 추가로 나열했다. 입력 한도를 초과하지 않는 선에서 시도해 볼 생각이었다. 다음 후보는 12345, asdfg였다. 키보드에 엄지손가락을 올려놓는 순간 전화벨이 울렸다. 현기였다. 집에 있다고 하니 얘기나 좀 하자며 기다리고 있으라고 했다. 나는 한숨을 내쉬었다. 턱에서 뼛조각이 달그락거렸다.

현기는 근처에 있었는지 10분도 지나지 않아 도착했다. 대문 밖에서 까치발을 하고 손을 흔들었다. 양손에 아이스크림을 들고 있었다.

우리는 전봇대 아래에 앉았다. 햇빛은 담벼락이 만들어 낸 그늘 위로 흘렀다. 현기는 아이스크림을 할짝거렸다.

골목길에 나란히 앉아 있던 그 짧은 시간 사이에, 어째서인지 현기가 정말로 박정배를 살해하지는 않을 거라는 생각이 들었다. 아이스크림 때문이었을 것이다. 하얀 바닐라 크림을 할짝할짝 핥고 있는 이 순진한 친구가 사람을 죽일 리가 없잖아. 그런 짓은 달에 사람을 보내는 것처럼 가능은 하지만 무의미한 일처럼 느껴졌다. 어쩌면 현기는 그냥 겁을 주려는 건지도 모른다. 내가 박정배를 데려가면, 현기는 박정배를 앉혀 놓고 다시는 나쁜 짓을 하지 말라고 혼을 낼 것이다. 현기가 내게 말해 줄 것이다. 폭력이 복수의 유일한 수단은 아니라고. 그러니 우리 너그러운 마음으로 래더코인을 처분하고 아름다운 미래를 맞이하자고.

녹아내린 아이스크림 주위로 개미가 몰려들었다. 현기는 개미가 검은 점처럼 몰려들 때까지 기다렸다가 발로 짓이겼다. 놀라서 달아나는 개미 떼를, 현기는 무표정하게 지켜봤다. 잠시 후 나를 향한 현기의 낯빛은 기대와 달리 날카로웠다.

"언제 할 건데?"

현기가 물었다.

"곧 해."

"집 구조는 파악했어? 저 인간 보러 오는 사람은 없는지 알아봤고? 몇 시에 나가는지, 누굴 만나는지, 다 확인했냐고."

"했어."

현기의 질문은 피상적이었고 내 대답은 건성이었다.

"얼굴은 왜 그래?"
"넘어졌어."
"손가락은?"
"넘어졌다니까."
"빨리 해. 너는 똑똑한 애가 이 쉬운 걸 못 하냐."
"기다려 봐, 좀. 할 거야."
"걱정이 돼서 그래. 이 코인 가격이 언제까지나 오를 거라는 보장은 없는 거 알잖아."

현기는 야금야금 핵심을 찔러 가며 말했다. 구부정하게 굽은 등짝이 부정적인 기운을 쏟아 내고 있었다.

"너 돈 벌어야지. 하고 싶은 거 많잖아."
"맞아. 나 돈 벌면 좋은 식당에 갈 거야. 메뉴도 없이 셰프가 알아서 코스 요리를 주는 레스토랑이 있어. 한 끼에 30만 원씩 해."
"에이. 그런 거 말고. 좀 큰 거 없어? 하고 싶은 거?"
"그럼 치킨집 차릴 거야."

고민도 하지 않고 내뱉은 대답에는 나도 놀랐다. 평소에 가게를 차리고 싶다는 생각은 한 적이 없었지만 생각해 보니 괜찮은 일 같았다. 언젠가 인류가 멸망하고 새로운 종이 우리의 역사를 파헤친다면, 이 시대는 인간이 아니라 닭의 시대로 기록될 거라는 말을 들은 적이 있다.

"치킨집에서 알바까지 하는데 또 닭집이라고?"
"할 줄 아는 게 그거니까. 이제 남 밑에서는 일 못 해."
"그래도 치킨집은 너무 많지 않냐."

맞는 말이었다. 치킨집은 구조 조정에 휩쓸리고 회사의 암묵적인 압박을 견디지 못한 이들의 종착지였다. 나는 남들과 다를 거라는 희망을 품고 떠내려가 절망의 소용돌이에서 뱅글뱅글 돌다 익사해 버리고 마는 곳이었다. 그렇기에 이 서울 땅에서 수많은 사람이 하루에도 수만 마리의 치킨을 자르고 튀기는 것이었다. 그런데도 치킨집을 하고 싶다는 말이 튀어나온 이유는, 아마도 가장 쉽게 사장이 될 수 있는 방법이기 때문일 것이다. 나는 한 사장을 욕하면서도 닮고 싶어 했다. 혜영이 같은 직원을 두고 좋은 차를 타고 다니는 인생을, 나도 살고 싶었다.

"너 딴생각하는 거 아니지?"

현기가 물었다.

"무슨 생각?"
"혼자 비밀번호 막 눌러 본다거나. 그러는 거 아

니지? 너 그러면 죽는다."

"아, 아니야. 현기야, 나 그런 적 없어."

거울이 필요했다. 나는 어색하게 웃고 있을까. 얼굴에 스치는 당혹감을, 현기는 눈치챘을까.

"아무리 생각해도 안 되겠어."

아이스크림 콘을 입에 쑤셔 넣으며 현기가 말했다.

"한 달 줄게."

"무슨 말이야."

"한 달 안에 박정배 데려와. 그래야 돈이 네 거가 될 거야."

현기가 일어섰다. 햇빛에 노출된 얼굴이 조각조각 구겨지기 시작했다. 너무 긴 노동을 이겨 내지 못한 일꾼처럼 현기는 짜증으로 가득 차 있었다. 나도 덩달아 화가 났다. 내가 누구 때문에 이 고생을 하고 있는데.

"그건 너무 빠른 거 아니야? 시간을 좀…"

현기가 내 머리를 빡 후려쳤다. 주먹이 어찌나 단단했는지 이가 다 흔들리는 것 같았다. 다시, 뼛조각이 턱 끝에서 달그락거렸다.

"아파, 현기야."

"야 정환아. 넌 내 친구잖아."

"…"

당신의 신은 얼마

"내가 친구한테 이렇게까지 해야겠어? 그냥 해 달라는 게 아니잖아. 너도 돈 버는 거잖아. 그럼 노력을 해야지. 답이 없으면 직접 가서 식사라도 하자고 해 보든지, 무슨 수든 써야 할 거 아냐."

고개를 숙였다. 눈물이 떨어질 것 같아 입술을 깨물었다. 현기가 말했다.

"한 달이야. 알았지? 아니면 4억 원은 날아가는 거야."

현기는 돈으로 나를 유혹했지만 정작 나를 움직인 건 현기의 협박이었다. 이 일에 실패했을 때, 현기의 칼끝이 향하게 될 곳이 내 목덜미가 될까 두려웠다.

며칠간 박정배를 관찰했다. 이 인간은 인터넷에 떠도는 모든 괴담의 발원지인 것 같았다. 가령 초밥 한 피스나 피자 토핑 몇 개, 순살 치킨 조금, 사은품으로 제공되는 음식들을 배달 전에 몰래 빼 먹곤 했다. 자주 신호를 무시했고 오토바이로 횡단보도를 가로질렀으며 번호판을 꺾거나 진흙을 붙여 놓음으로써 단속을 피했다. 하지만 그 허술한 듯한 행동 사이에 내가 침투할 만한 허점이 보이지는 않았다. 이래 당하나 저래 당하나 당하기는 매한가지일 것 같았다. 현기의 말이 떠올랐다. 답이 없으면 직접 가서 식사라도 하자고 해 보든지. 그때 맞은 머리가, 상처받은 가슴이 여전히 얼얼했다.

한 사장이 없는 틈을 타서 간장치킨 한 마리를 가방에 넣었다. 마감 직전에 콜라도 챙겼다. 백팩 가장 깊숙한 곳에 숨겨 놓은 칼의 굴곡이 등에 선명히 새겨지는 것 같았다.

자정이 지난 시간에 아파트에 도착했다. 거실 불빛이 창문 밖으로 새어 나왔다. 박정배의 그림자가 어슬렁거리고 있었다. 504호 앞에 쪼그려 앉아 치킨의 어디에 졸피뎀을 타면 좋을지 생각했다. 맛이 이상하지는 않을지도 걱정이었고 가루 좀 뿌렸다고 사람이 금방 잠이 들지도 걱정이었다. 무엇보다 어떻게 접근을 해야 할지 알 수 없었다. 다짜고짜 문을 두드릴까. 지나가다 들렀다고 말할까. 그 뻔한 거짓을, 눈치 빠른 박정배가 믿어 줄까. 생각을 정리하기도 전에 문이 열렸다. 나는 엉덩방아를 찧었다. 박정배는 전기 모기 채를 들고 있었는데, 여차하면 그걸 휘두를 것 같았다. 준비하지 않은 말이 나왔다.

"아저씨 저예요. 지갑."

문틈으로 낡은 선풍기가 돌아가는 모습이 보였다. 집 안의 더운 공기가 주르륵 흘러나왔다.

"이거 드리려고요."

엉덩이를 털고 일어나는 나와 치킨을 번갈아 보

당신의 신은 얼마

며 박정배는 의아하다는 표정을 지었다.

"이거 때문에 여기까지 왔다고?"

"그때 제가 보답을 했어야 했는데 경황이 없어
서… 지갑에 돈도 없었고요. 그런데 닭 한 마리
안 주냐고 하셨던 게 기억이 나서…."

찌푸린 미간과 달리 코는 달콤한 냄새에 반응하
고 있었다. 그게 기회로 보였다. 초대받은 사람인
양 뻔뻔하게 한 걸음 다가섰다. 박정배는 그만큼
뒤로 물러섰다.

"알았어. 이리 줘."

문틈으로 빠져나온 손가락이 까딱거렸다. 4억이
눈앞에 어른거렸다. 사그라드는 용기에 아홉 개의
숫자가 불쏘시개가 되어 불을 붙였다. 나는 문틈에
발을 밀어 넣었다.

"같이 먹어요."

박정배는 머리를 긁적였다. 경계심이 발동한 것
일까. 나는 좀 더 강한 어조로 말했다.

"저도 아직 저녁을 못 먹었어요. 안 드실 거면 가
져가고요."

"들어오겠다고?"

박정배가 여지를 보였고 나는 그 순간을 놓치지
않았다. 실례하겠습니다, 불쑥 내뱉은 내 말에 담

긴 안도감을 박정배는 눈치채지 못한 것 같았다. 나는 집 안으로 들어섰다. 문이 닫히고 도어 록이 잠겼다.

텅 비고 허름한 거실에서 박정배가 식탁을 폈다. 밤늦은 시간이었지만 평소 늦은 오후에 하루를 시작하는 우리는 쌩쌩했다. 나는 식탁에 치킨을 올렸다. 소스를 한쪽에 두고 치킨무의 포장을 벗겼다. 뼈를 담을 비닐봉지를 놓은 뒤 냅킨과 나무젓가락을 가지런히 올려 두었다. 정갈하게 정리된 야식을 본 박정배는 더 이상 늦은 밤 찾아온 객을 귀찮아하지 않았다. 박정배가 다리 한 점을 물었다. 나는 가슴살을 들었다. 비닐봉지에 뼈가 쌓였다. 조용한 식사가 계속되던 중에 내가 물었다.

"배달 일 힘드시죠."

"응."

단문의 대답 뒤에 이어지는 짧은 침묵. 나는 조용한 식사 시간을 견딜 수가 없었다. 대답이 궁금하지 않은 질문을 계속 덧붙였다.

"다른 일은 왜 안 찾아보시고요."

"전과가 있으면 할 수 있는 일이 별로 없거든."

"감옥에 계셨어요?"

"폭행 치사로 5년. 폭행 치사가 뭔지 알아?"

"몰라요."

"죽인 게 고의가 아니라는 거야."

당신의 신은 얼마

과오를 숨기는 기색은 없었다. 박정배는 치킨무 국물을 들이마셨다. 그리고 소주를 마신 것처럼 추임새를 넣었다. 캬.

"친구랑 좀 다투다 말이지…. 아니 위에 올라타서 머리를 세게 때렸는데 축 늘어지는 거 아니겠어. 지금 생각하면 그때 가만히 맞고 있을 걸 그랬나 싶지. 그런데 사람이 어디 그렇게 되나. 우리나라에 정당방위가 어디 있어. 죄다 쌍방 폭행이니 맞은 놈만 손해잖아. 그럼 어떡해. 싸움이 나면 먼저 때려야지."

나는 박정배를 빤히 쳐다보았다. 옛 기억을 떠올리듯 초점 없는 박정배의 눈이 주방 어딘가를 더듬거렸다. 마치 그 자리에서 친구를 죽였다고 말하는 것 같았다.

"그래도 나 그렇게 위험한 사람은 아니야. 열심히 살아. 굴다리 밑에서 배달 콜이 와도 나는 그걸 잡아. 근처에 재개발 지역 있는 거 알지. 거기 폐가로 배달을 시키는 애들이 있어. 가출한 애들. 그런 콜은 보통 잘 안 잡아. 무섭잖아. 위험하기도 하고. 나는 가. 무서운 게 없으니까. 근방에서 내가 제일 열심히 할걸."
"저도 열심히 살아요. 저도 나쁜 사람은 아니고요."
"누가 뭐랬냐."

우리가 서로에게 띄운 웃음은 짧고 어색했다. 나는 콜라병을 땄다. 치익 하고 탄산 빠지는 소리가 길었다.

"언제 출소하셨어요?"
"보자, 이제 나온 지 6개월 됐네."
"이 집은요?"
"외국 사는 친척 집."

치킨은 절반으로 줄어 있었다. 많은 뼈가 쌓였다. 우리가 살점 하나 남기지 않고 물렁뼈까지 발라낸 닭은 어딘지 가련해 보였다.

"주방 일은 어때? 궁금했는데. 나 같은 사람도 할 수 있나?"
"할 만해요. 좀 덥지만."
"나 더위는 잘 참아. 배달 일보다 괜찮을까."
"사람들이 못 버티고 금방 나가니까 일은 쉽게 구할 수 있어요. 오래 일하면 요리도 배울 수 있고. 기술을 배우실 거면 프랜차이즈 말고 동네에서 술안주 만들어 파는 데서 주방 보조로 시작하시는 게 좋아요."

박정배는 경계를 풀었다. 때가 됐다는 생각이 들었다. 미리 준비한 졸피뎀 가루를 박정배가 눈치채지 못하게 콜라 캔 주둥이에 부었다. 가루가 감질나게 한 알씩 굴러 들어갔다. 나는 조바심을 견디지

당신의 신은 얼마

못하고 한 번에 가루를 쏟아 넣었다. 탄산음료에 졸피뎀 가루를 집어넣으면 무슨 일이 벌어지는지 그때 처음 알았다. 무슨 화학적 작용을 일으킨 것인지, 콜라가 분수처럼 넘치기 시작했다. 박정배의 눈초리는 엉망이 되어 버린 바닥 대신 나를 향했다.

"콜라가 왜 그렇게 넘칠까."
"가져오다 흔들렸나 보네요."
"아까 따 놓은 거 아니었어?"
"아니에요. 지금 딴 거예요."

박정배가 지저분한 걸레를 던져 주었다. 치킨무나 치킨에 졸피뎀을 뿌렸더라면 일이 좀 수월했을까. 나는 바닥을 훔치며 생각했다. 머리를 좀 더 썼어야 했다. 해가 없는 방정식을 푸는 것처럼 갑갑했다. 여기 좀 닦아, 저기 구석도 꼼꼼히 보고, 나중에 끈적거리지 않게. 훈수를 두던 박정배가 말했다.

"술 좀 해? 소주 있는데."
"아니요. 전 됐어요."

박정배는 찬장에서 소주를 꺼냈다. 잔을 챙겨 뒷짐을 지고 다가오더니 자리에 앉기 직전 뭔가 날카로운 것을 내 목 가까이 쑥 들이댔다. 얼음송곳이었다. 나는 헙, 숨을 들이켰다. 식식거리는 웃음소리가 덤비듯 귓가에 흘렀다.

"평소에 이걸 들고 다녀. 호신용품 하나 정도는

있어야지."

"네⋯. 혼자 사시니까요."

목이 졸린 듯한 쉿소리가 튀어나왔다. 공포심 때문이었다. 딱딱한 얼음덩어리가 목구멍을 막아 버린 것 같았다.

"집에 낯선 사람이 찾아올 때도 있고."

박정배는 휴지로 송곳을 잘 닦아 옆에 놔두었다. 송곳은 한 뼘 정도의 길이로, 얼음 말고도 온갖 것들을 뚫을 것처럼 뾰족했다. 나는 턱을 따라 흐른 땀을 닦았다.

소주가 반 병으로 줄어드는 동안 치킨은 동이 났다. 박정배는 담배를 꺼내 들었다.

"한 대 괜찮지?"

"네. 그러세요. 저는 이만 가 볼게요."

나는 뒷정리를 했고 박정배는 담배에 불을 붙였다. 담배 연기의 쏘는 냄새가 좁은 공간을 가득 채웠다. 선풍기는 담배 연기를 멀리까지 날려 보냈다. 옆집의 누군가가 벽을 쾅쾅 쳤다.

현관에서 신발을 신고 있는데 박정배가 뒤에 대고 말했다.

"궁금한 게 있어."

"뭔데요?"

당신의 신은 얼마

"우리 집은 어떻게 알았어?"

뒤를 돌아봤다. 박정배의 입술에 매달린 담배 끝
이 손가락처럼 덜렁거리고 있었다.

"어떻게는요. 여기서 지갑을 떨어뜨렸으니까 알
지요."
"그런데 504호 앞에서 떨어뜨린 걸 어떻게 알지?"
"그때 가게에 와서 말씀하시지 않았어요?"
"안 했어."
"그랬나요."

박정배는 다시 담배를 물었다. 할 말이 없어진
나는 바닥을 쓸다가 냅다 집을 뛰쳐나왔다. 바보
같았다. 아파트 단지를 관통해 흐르는 바람이 사나
웠다. 분리수거함이 있는 곳까지 가다 걸음을 돌려
뒤를 봤다. 박정배는 아파트를 떠나는 나를 바라보
고 있었다. 입술 끝에서 빨간 불이 깜빡, 깜빡 했다.

좀 더 편한 방법은 없을까. 정수리가 내려다보이
는 높이에서, 화분이나 소화기 같은 걸 던지면 어
떨까. 하늘을 찍는 보안 카메라는 없을 테니까 경
찰도 범인을 쉽게 찾지는 못할 텐데. 운 좋게 딱,
머리를 맞히면 될 텐데. 하늘에서 냉장고라도 떨
어져 주지 않을까. 담벼락이라도 무너지지 않을까.
골목을 질주하는 음주 차량은 없을까. 뭐가 됐건,
내 손에 피를 묻히지 않고 박정배를 제거해 줄 행

운은 없는 걸까. 박정배는 담배를 손가락으로 튕겨 재를 털어 내고 집으로 돌아갔다.

한 해에 약 7만 명의 사람들이 실종된다. 가출을 포함한 통계다. 장기간 찾지 못해 사망자로 간주되는 실종자는 1년에 1500명 정도다. 거기에 숫자 하나 더한다고 세상이 달라지지 않는다는 걸 알면서도 나는 마지막 한 걸음을 내딛지 못했다. 도덕적 가치, 인간이 지켜야 할 어떤 경계, 그 무형의 선을 넘을 각오가 부족했다. 그래서 나는 별수 없이 닭만 튀겼다. 묵묵히 내 손에 이끌려 뜨거운 기름으로 입수하면서도 비명 한 번 지르지 않는 닭을 보는 동안 내 속에는 갑갑함이 쌓였다.

*

"시장이 예상보다 활황이었어요. 래더코인에도 자본이 흘러들어 오기 시작했어요. 프라임 캐피털 파트너스의 투자금을 동원해도 컨트롤이 쉽지 않을 정도로요. 계획을 수정해야 했지만 좋은 일이었어요. MM이 많이 고생했죠. 진짜 전문가들이었어요. 수백 명이 들어와 있는 리딩방을 수십 개씩 운영하면서도 실수를 안 해요. 리딩방에 있는 사람들은 우리만 바라봤어요. 손을 모으고 계시를 기다리는 거예요. 이걸 사라, 저걸 사라.

당신의 신은 얼마

그러면 우리가 말하는 대로 돈이 움직여요. 무슨 교주라도 된 것 같더라고요."

최닥의 설명에 정책 본부장이 고개를 갸웃거렸다.

"그 시점에 래더코인을 처분하지 않은 건 더 오를 거라는 확신이 있었기 때문이겠죠? 하지만 MM이 아무리 실력이 좋아도 래더코인 가격을 계속해서 상승시키는 건 어려웠을 텐데요."

"자전 거래를 했어요. 총알은 있으니까, 차명 계좌 다 동원해서 조금씩 가격을 올려요. 수수료가 늘어나는 게 문제인데 그건 거래소에서 감면해 줬어요. 양 이사가 플랫폼 사람들과 투자사를 이해관계로 엮어 놓은 덕분에 가능했죠. 플랫업 고위직 주머니에 래더코인이 조금씩 들어 있었거든요. 래더코인이 오를수록 플랫업 직원들도 부자가 되는 구조였어요."

"일반적인 방식인가요? 아니면 다른 세력들과 좀 차이가 있어요?"

"차이가 있죠. 다른 세력들은 이렇게까지 치밀하게 일하지 않아요. 소소하게 한탕 하고 흩어지는 게 목표니까 중고점에서 다 던지는 거예요. 그런데 그렇게 하면 종목 하나를 오래 가져갈 수 없어요. 개미를 많이 달고 상승하지 않는다는 말이에요. 우리는 패닉 셀 때문에 물량이 시장에 대거 풀리는 상황을 원하지 않았어요. 가격이 조금 떨어진다 싶으면 바로 회수해서 다음 펌핑을 증명했어요. 확신을 주는 거예요. 래더코인은 무조건 1만 퍼센트까지 간다. 100배짜리다. 그렇게 기대감을 부추겨서 끝에서 크게 한 번 먹는 게 전략이었어요. 매일 운용 보고서도 확인하고. 모두 제정신이 아니었어요."

사람들은 믿고 싶은 것을 믿는다. 자신의 미래가 절망으로 가득하다는 것을 상기하고 싶어 하지 않는다. 아무리 현실이 시궁창 같아도, 세상 사람 모두가 망가지고 무너지더라도, 자신에게는 한 가닥 희망이 빛을 비추고 있으리라 생각한다. 마음에 병이 많은 사람일수록 그런 입에 발린 소리를 해 주는 곳에 마음을 기대는 법이다. 최닥과 친구들이 이용한 건 바로 그 연약한 마음이었다.

10. 9044.7% = ₩448,765,140

코인 시장이 며칠간 정체 현상을 보일 때도 있었다. 그럴 때마다 하락장이 시작됐다며 떠들어 대는 경고의 목소리는 어쩐지 신이 난 것처럼 들렸다. 하지만 시장은 굳건했다. 미디어의 호들갑이 관망을 멈추고 코인 매수에 뛰어들라는 신호라도 된다는 듯이, 모든 코인이 일제히 전날의 하락세를 만회하고도 남을 상승 폭을 기록했다. 언제부턴가 암호 화폐 시장이 곧 무너질 거라는 의견은 주목을 받지 못했고 과연 이 광풍이 언제까지 지속될 것인가 전망하는 의견이 대신 자리를 잡았다.

알람이 울렸다. 닭이 까맣게 타기 직전이었다. 요즘 들어 멍해지는 시간이 늘었다. 혜영이 전화를 받으라고 했다. 한 사장은 개인 전화를 가게로 거는 게 정상이냐며 투덜거렸다.

"야. 좀 볼 수 있어?"

전화를 건 사람은 박정배였다.

"오늘요?"

"오늘 되면. 일 끝나고 잠시… 우리 아파트에서."

"왜요?"

"오라면 좀 와."

그날 저녁, 최후의 일격을 준비하는 마음으로 아파트 벤치에 앉아 박정배를 기다렸다. 가방에는 약과 칼이 들어 있었지만 그건 매일 품고 다니는 사표 같은 거였다. 기회를 노려야 했다. 박정배가 긴장을 풀고 마음껏 허술해지는 때를. 나는 교화를 믿지 않았다. 수년간의 수감 생활이 범죄자의 참모습을 잠시 억눌렀을 뿐, 언젠 반드시 본래의 악의가 방귀처럼 흘러나올 거라고 믿었다. 박정배의 뱃속에 꿈틀거리고 있을 본성이 모습을 드러낼 때까지, 그래서 내가 거리낌 없이 악인을 잠재울 수 있을 때까지 버텨야 했다.

박정배는 얘기한 시간보다 조금 늦게 도착했다. 우리는 벤치에 나란히 앉았다. 나이를 화장으로 가린 여자가 지나갔다. 핸드백이 엉덩이에 부딪혀 덜렁거렸다. 우리 둘의 눈은 절로 그 뒷모습을 따라 움직였다. 박정배가 우물거리며 입을 열었다.

"저기, 내가 지갑을 찾아 줬잖아. 좀 알아봤는데. 주운 물건값의 10분의 1을 요구할 수 있대."

무슨 말을 하려는 걸까. 나는 벤치의 단단한 이음새 부분을 만지작거렸다. 뒷목과 뒤통수 사이가 간질거렸다.

"음…. 물건 주인은 분실물 가격의 5퍼센트 이상 20퍼센트 이하로 보상금을 지급하면 돼요. 그런데 지갑에는 현금도 없었고… 제가 고맙다고 치킨도 갖다 드렸는데…."
"야. 그래서? 못 주겠다고? 지갑 안에 카드도 있었잖아. 그거 잃어버렸으면 얼마나 귀찮았겠어."

발아래 젖은 흙은 여름날의 열기에 어울리지 않는 한기를 뿜었다. 당신은 또 왜 이러는데. 왜 내가 당신을 미워하게 만드는데. 왜 계속, 내가 악해질 명분을 주는 건데. 박정배는 내 속도 모르고 말을 이었다.

"그냥 달라는 게 아니라, 빌려 달라고. 사고가 나

당신의 신은 얼마

서 말이야. 아니 그 피해자가 살짝 부딪힌 것 같
은데도 병원을 가겠다고 하네."

"얼마나 필요한데요?"

"얼마나 줄 수 있는데?"

능청맞은 웃음. 나는 20만 원 정도라면 가능하
겠다고 했다.

"50만 원은 안 돼?"

"아 그건 좀…."

"어떻게 좀 안 되겠어?"

박정배가 얼굴을 바짝 들이밀었다. 두툼한 입술
너머 자일리톨 같은 치아가 쏟아질 것 같았다. 새
로 해 넣은 이가 유독 하였다. 나는 박정배에게 기
다리라고 한 뒤 편의점에서 돈을 뽑았다. 박정배는
헤실거렸다. 은혜를 베풀었다는 느낌은 들지 않았
다. 액수가 맞는지 세 보던 박정배가 대뜸 연락처
를 달라고 했다.

"왜요?"

"돈을 갚으려면 연락을 해야지. 계속 가게로 전
화를 할 수는 없잖아."

숫자였을 때의 박정배가 나왔다. 숫자에는 표정
이 없다. 숫자는 울지 않는다. 웃거나 소리치지도,
화를 내지도 않는다. 돈을 빌려 달라는 말 또한 하
지 않는다. 박정배와 말을 섞을수록 코인 그래프에

서 살과 근육이 느껴졌다. 숫자에 혈관이 돋고 피가 흘렀다. 숫자는 혀를 날름거렸고 이를 딱딱 부딪치며 트림을 했다.

박정배는 내가 불러 준 전화번호를 휴대폰에 입력한 뒤에 확인차 내게 전화를 걸었다.

"이정환 맞지?"

"이름까지 외우셨네요."

"나 기억력 좋아."

떫은 불안감이 찾아온 건 잠시 후의 일이었다. 박정배가 나를 안다. 내가 박정배를 안다는 걸 한 사장도 알고 혜영도 안다. 박정배의 집을 방문한 사실은 도처에 널린 카메라가 알고 있을 것이다. 박정배의 통화 기록에는 내 번호가 남아 있다.

나쁜 생각이 들었다. 머리 깊은 곳에서 스멀스멀 새어 나오는 상상은, 어느 평범한 주말 오후 집을 찾는 두 형사의 이미지로부터 시작됐다. 형사가 문을 두드리고 나는 달아날 곳을 찾는다. 형사들이 손목에 채운 수갑을 들키지 않기 위해 몸을 숙이다 균형을 잃고 넘어지는 내가 보인다. 예리는 입을 틀어막는다. 아버지는 천천히 무너진다. 때는 겨울. 나는 쓸쓸하고, 춥고, 외롭다.

모기가 물어뜯은 발목이 간지러웠다. 물린 자리에 붉은 점 같은 핏방울이 맺힐 때까지 긁었다. 피부가 빨갛게 일어났다. 상처를 손으로 덮었다. 손바닥의 텁텁한 기운과 함께 쓰라림이 종아리에서 허벅지로 번져 왔다. 짝 소리가 나게 발목을 때렸다. 늦더위가 날뛰는 밤이었다. 목이 말랐다.

종업원 조끼를 입은 노인이 편의점 카운터에 서 있었다. 나는 캐셔로 일하는 노인들을 이해하기 힘들었다. 그들은 느리고 이해력이 낮다. 노인들을 치워 버려야 한다는 말은 아니다. 나이로 사람을 차별하고 싶지는 않다. 필요한 자리에 적절한 능력을 가진 사람이 배치되어야 한다고 주장하는 것뿐이다. 한국말도 제대로 못하는 외국인이나 인지능력 떨어지는 노인이 카운터를 보는 건 효율성을 낮추는 일이니까.

계산대에 맥주와 안주를 올려놓았다. 바코드를 찍는 캐셔의 손이 무척 느렸다. 주름졌지만 고운 손이었다. 늘그막에 편의점에서 심야 아르바이트를 할 거라고는 생각한 적 없는 인생을 살아왔을 것이다.

카드를 꺼내는데 결제 창에 뜨는 상품 목록이 이상했다. 이전 결제 건이 지워지지 않은 모양이었다. 결제 금액이 5만 원이 넘어가는데도 캐셔가 버젓이 카드를 꽂으라고 안내하는 통에 빈정이 상했다.

"계산 좀 똑바로 하세요."

이건 내 말투가 아닌데. 누가 쓰는 어투였더라. 현기, 아니면 커뮤니티의 누군가. 내가 던진 핀잔에 노인이 당황했다. 창고를 정리 중이던 아르바이트생이 대신 결제를 처리했다. 버튼을 누르는 무심한 손짓에 짜증이 가득했다. 누가 더 세상에 유용한 인간인지 명백해졌다. 이렇게 선명한 상황을 두고도 사회는 합리적이지 못한 행동을 종용한다. 여자와 아이들을 먼저 구하기. 노인에게 양보하기.

영화를 보면 꼭 젊고 건장하며 생각이 바르고 정의감 넘치는 남자가 장렬하게, 응당 그래야 하는 것처럼 절정 부분에서 최후를 맞이한다. 영화 타이타닉에서도 결국 죽은 사람은 잭이잖아? 로즈는 쭈그렁탱이가 될 때까지 잘만 살았다. 왜 여자와 아이들은 보호하라고 하면서, 그들의 효용 가치에 대해서는 고민하지 않는 걸까. 차라리 젊은 남자들을 살려 놓으면 인류에 더 도움이 될 텐데. 사회의 정의를 지키고 질서와 체계가 자리 잡을 수 있게 만드는 리더의 역할을 맡을 사람들을 우선한다면.

노인은 비닐봉지에 맥주를 담으며 한마디를 보탰다.

"요즘은 일본 맥주 잘 안 마시는데."

노인들에게는 거리 감각이 존재하지 않는 것 같았다. 어쩌면 이런 태도가 무법천지의 독재 시대를 살아온 이들의 생존 방식일지도 모른다. 무기가 없다는 걸 보여 주기 위해 서로 손을 내밀고 악수를 하는 것처럼, 위협적이지 않은 존재임을 알리기 위해 스스럼없이 말을 붙이는 것이다. 어색한 미소가 대답을 기다리고 있었다. 나는 에어커튼에 머리를 식히며 말했다.

"어차피 왼쪽은 황사고 오른쪽은 방사능이에요."

가로수 아래를 걷는데 좀 외로웠다. 아직 차가운 맥주를 따서 들이켰다. 뭘 어떻게 하면 이 인생이 좀 나아질까 생각했다. 여자가 있으면 조금은 재미있어질까. 혜영이랑 사귀면 좋을까. 내 가게가 생기면, 조금은 더 재미있어질까. 돈이 많으면 재미있어질까. 그러면 이 답 없는 인생이, 좀 괜찮아질까.

*

"본게임에 들어갔어요. 불을 지를 때가 된 거죠. 사실 50원짜리를 100원으로 만들기는 쉬워요. 인력과 기술이 있으면 1억도 2억이 되고요. 하지만 시드 머니를 열 배, 백 배로 불리는 건 전혀 다른 일이거든요. 단체 대화방에서 슬슬 이야기가 나오게 했어요. 간만 보는 거예요. 래더코인이 뜬다더라. 유명 스타트업 대표들이 투자를 했다더라."

"잘됐어요?"

유 후보의 질문이었다.

"예상했던 거랑 너무 달랐어요."
"어떻게요?"
"뚝배기처럼 은근히 끓을 줄 알았는데 웬걸요. 냄비도 그런 냄비가 없어요. 세상이 변한 걸 몰랐던 거죠. 사람들은 손에 돈을 쥐고 어디에 투자할지 찾느라 혈안이 돼 있었어요. 뭘 해도 손해는 보지 않는다, 기왕이면 리스크가 더 큰 곳에 투자하자, 그쪽 보상이 더 클 테니까. 그런 생각이 팽배했던 거예요. 그 모습을 보고 있으니 우리가 시장을 움직일 수 있겠다는 확신이 강해졌어요. 욕망이 흐를 수 있는 길만 내 주면 되는 거예요."
"계속 이득을 보는 상황에서 언제까지 코인 가치가 상승할지 예측하기가 쉽지 않았을 텐데요. MM이 꽤나 확신을 줬나 보네요."
"그렇죠. 그 사람들이 작업 한 번 할 때마다 수수료만 몇천만 원씩 나갔어요."
"어휴."

유 후보가 고개를 절레절레 저었다.

그 시절을 떠올리면 은근한 피 맛이 나면서 목구멍이 조여든다. 사실은 불안했다. 반드시 성공

할 거라는 확신과 자칫하면 미끄러진다는 우려 사이에서 최닥은 초조했다. 성공했을 때 얻게 될 부와 실패했을 때의 절망을 저울질하는 사이 도박판에 앉은 듯 흥분이 고조됐다. 공정한 게임은 아니었다. 프라임 캐피털 파트너스가 정리한 보고서를 읽고 있으면 이 세계가 훤히 보였다. 몇 사람만 쿡쿡 찔러 주면 요동치는 시장이, 그런 작업을 법으로 막지 않는 시스템이.

최닥이 지금의 자리에 오른 건 타고난 머리 덕분일 수도 있고 좋은 동료를 만났기 때문일 수도 있다. 하지만 결국은 누가 타인에게 피해를 입힐 준비를 더 과감하게 했느냐의 문제였다. 한 사람을 죽이면 살인자지만 수백만 명을 죽이면 정복자라고 했다. 찰리 채플린이 그랬나. 장 로스탕이 그랬나. 아니면 스탈린이었나. 셋 다였는지도 모른다. 좀 있어 보이는 격언은 각기 다른 형태로 여러 사람의 입에 오르내리기 마련이다. 프라임 캐피털 파트너스는 대중의 피를 빨아먹을 채비를 마쳤다. 정복자가 될 준비를 끝낸 것이다.

최닥은 자신이 시장을 속속들이 꿰고 있다고 생각했다. 하지만 프로젝트가 끝날 때까지도 이해하기 힘들었던 건 홍보 문자를 받은 사람들의 반응이었다.

...

500% 급등작전종목포착.

이 문자를 끝까지 읽어 보신다면 마이너스뿐인 회원님의 계좌가 플러스로 바뀔 겁니다.

지난달 이미 150% 수익 보여 드렸고 이번 달부터는 300% 수익 확신 있습니다.

다만 조건이 있습니다. 비밀 보장 가능하신 분. 안전하게 수익 내고 싶으신 분. 무료로 최소 인원만 입장 받고, 이후 비밀번호 걸어 두고 입장 제한 두겠습니다. 멘토 경력을 확인하세요. 실전 투자 경력 16년의 실전 고수. 전 공중파 전문가 활동. 투자자산 운용사 자격증 보유, 파생 상품 투자 상담사, 펀드 투자 상담사.

...

첫 문장을 다 읽기도 전에 지울 것 같은 스팸 문자였다. MM은 이런 스팸 문자 회수율이 생각보다 높다고 했다. 문자를 받은 사람들은 발신인이 투자 수익을 보장해 주지 못한다는 것을 알면서도 호기심에, 실수로, 정말로 관심이 있어서 리딩방으로 흘러들었다. 조잡한 문자에 미안할 만큼 많은 사람들이 몰렸다.

당신의 신은 얼마

11. 10005.2% = ₩496,421,130

대한민국의 경제활동인구는 2800만 명이다. 그
중 2700만 명이 어떤 형태로건 취업을 한 상태다.
임금 근로자는 2000만 명이며 이 중 1300만 명
이 정규직으로 일하고 있다. 나는 이 수치를 확인
할 때마다 얼마나 많은 사람이 지시를 통해 움직이
는지를 깨닫고 놀라곤 한다. 어쩌면 인간은 지배를
받을 때 편안함을 느끼는 생물인지도 모른다. 주체
적인 사고와 독립적인 행동에는 에너지가 필요하
고 이는 스트레스를 증가시킨다. 리더가 방향을 설
정하게 하고 나머지가 그 지시에 따라 행동하는 방
식은 집단의 생존 가능성을 높여 준다. 이런 본능
을 이용하면 계급 구조를 공고화할 수 있다.

20대 후반 청년층의 실업률은 10퍼센트를 상회
한다. 아무 일도 하지 않고 구직 활동에도 참여하
지 않는, 이유 없이 쉬는 20대 인구가 41만 명인
시대다. 나처럼 아르바이트라도 하는 경우에는 실
업자로 분류되지 않는다. 경제활동인구 대비 실업
자, 잠재 구직자, 불완전 취업자의 비율인 확장 실
업률은 25퍼센트를 넘는다.

일하지 않는 사람이 이렇게 많은데, 자신이 목표
로 삼았던 직장에서 일하는 인구는 얼마나 될까.

그런 사람이 내 옆에 있을 가능성은 또 얼마나 될까.

그 낮은 확률 속에 혜영이 있었다.

취직을 해서 아르바이트를 그만두게 되었다는 이야기를 혜영이 떠나는 당일에야 들었다. 앞치마를 벗고 머리를 푼 혜영은 벌컥 짜증이 나게 아름다웠다. 이 아이가 다른 사람 옆에 있을 거라는 사실을 받아들이기 힘들었다. 다시는 혜영을 볼 수 없다는 것이, 다시는 혜영의 옆에 있을 수 없다는 사실이 절망스러웠다. 넌 나와 여기 같이 있어야 하는 사람인데. 그래서 좋아했는데. 혜영은 지금 모습 그대로가 너무 예쁜데, 회사 같은 곳을 다니면 낡을 텐데. 닳고 닳은 회사원들이 혜영에게 은밀히 접근할까 봐 걱정이었다. 그들이 단물을 쪽쪽 빨아먹은 뒤에 쭈글쭈글해진 혜영을 뱉어 놓지는 않을까, 순진하고 여린 혜영이 그런 세계에 쉽게 어울리고 물들어 버리는 건 아닐까, 나는 걱정되었다.

혜영은 이른 퇴근을 앞두고 동료들과 인사를 나눴다. 그리고 한 명 한 명에게 선물을 건넸다. 책이나 양말 같은 소소한 것들인데도 상대를 배려해 준비한 티가 났다. 내 앞에는 자외선 차단제와 핸드크림이 놓였다.

"오빠는 기름 앞에 오래 있으니까요."

선물 상자 속에 카드가 들어 있었다. 동글동글한 필체로 그동안 많이 가르쳐 주시고 잘 대해 주셔서 고마웠어요, 언제나 열심히 일하는 모습이 보기 좋았어요, 꼭 좋은 데 취직하실 거예요 같은 말들이 적혀 있었다.

"어느 회사에 취직한 거야?"

카드를 접어 넣으며 내가 물었다.

"우성리서치 합격했어요."
"아. 인턴이지? 아니면 계약직이야?"
"공채요."

사람들은 혜영이 언제부터 출근하는지, 직장 위치가 어디인지 따위를 궁금해했다. 내가 알고 싶은 정보는 따로 있었다.

"그 회사에 취직이 그렇게 쉽게 돼?"
"에이 아니죠. 요즘 취직하기 정말 힘들잖아요."
"그런데 어떻게 했어?"
"후기도 많이 보고 준비도 오래 했는데… 뭐 운도 좀 좋았고요."

제대로 된 설명이 아니었다. 우리는 같은 시간에 출근해서 같은 시간에 퇴근했는데. 하루가 혜영에게 특별히 긴 것도 아니었을 텐데.

"너 그럼 여기서 일하면서 계속 준비했던 거야?"
"네. 퇴근하면 바로 이력서 고쳐 쓰고, 자격증 공부 하고…."

"퇴근하고 그럴 여유가 있어?"

"시간이 나서 하나요. 시간을 내서 해야지."

아니. 그렇지 않다. 주방이 아니라 홀에서 일하니까 체력과 마음에 여유가 있었을 것이다. 그래서 퇴근한 뒤에도 곧장 침대로 가지 않고 이력서도 쓰고 면접도 준비할 시간을 낼 수 있었겠지. 우리가 봐준 편의가 혜영의 여유가 됐던 셈이다. 우리가 짬을 내서 만들어 준 시간과 에너지를, 이 아이는 개인의 영달에 할애한 것이다.

"근데 거기 야근도 많이 하고 힘들잖아. 너, 체력이 약하지 않아? 힘든 일 잘 못하던데."

혜영은 여전히 예뻤다. 어느 때보다도 예뻐 보였다. 나는 혜영의 동그란 콧방울과 단단하고 탄력 있는 볼을 지켜보느라 그 위로 새겨진 균열이 달그락거리는 것을 알지 못했다.

"그 회사엔 남자가 많을 텐데. 군대 문화가 뿌리박혀 있는 걸로 유명하고. 너 조직 문화가 뭔지도 잘 모르잖아."

"그런데요?"

"아니 그런 회사에서 왜 널 뽑았나 싶어서. 너 다니는 학교는 우성 가기에 좀 모자라지 않았어?"

"안 그래요. 학교 선배 중에 우성 간 사람 많아요."

"아 그런 거야? 그럼 선배들이 도와주고 그랬겠네."

당신의 신은 얼마

혼자 해내지는 않았을 것이다. 분명 누군가의 도움을 받았겠지. 먼저 취직한 학교 선배. 어쩌면 남자친구. 설마 요 앙큼한 것이 여태 살살 눈웃음을 치면서 남자친구가 있다는 말을 안 했던 걸까. 나도 모르게 찍어 누르는 것 같은 말투가 튀어나왔다. 혜영은 바로 반박했다.

"아닌데요. 저 혼자 준비했는데요."

거짓말. 나는 말을 이었다.

"하긴 예쁘면 좀 유리하긴 했겠다."
"그게 무슨 뜻이에요?"
"너 예쁘잖아. 면접관들도 사람인데, 얼굴을 안 볼 수가 있나."
"왜 말을 그렇게 하세요?"
"응? 화났어? 잘됐다고 축하하는 거야."

소름 끼치게 귀여운 얼굴이 말똥말똥 날 쳐다봤다. 토라진 듯한 표정을 보니 말이 좀 심했나 싶었다. 나는 뒤늦게 입을 다물었다. 혜영은 작은 새처럼 한숨을 뱉었다. 나는 돌아서는 혜영의 어깨를 두드리며 말했다.

"다음에 한번 봐. 치킨 먹고 싶을 때 놀러 오고."

혜영은 인사하는 척 어깨를 살짝 뺐다. 당장은 미처 눈치채지 못하게, 하지만 내가 더 이상 손을 댈 수 없을 정도로 충분한 거리를 벌렸다. 가게를 나서는 순간에 혜영은 신경질적으로 어깨를 털고 있었다.

혜영이 일을 그만둔 날은 유독 바빴다. 지하철 빈자리에 앉은 내게 누군가 눈치를 줬다. 은근슬쩍 무릎을 치면서 내 시선을 끌었다. 임산부 배려석에 앉아 있다는 이유에서였을 것이다. 나는 물러나지 않았다. 자리를 양보할 이유를 찾지 못했다. 힘없이 처진 눈으로, 내 힘으로 얻은 이 자리를 왜 빼앗으려는 거냐고 되물어 주었다. 나는 충분히 힘들고 방전된 상태였고 입구 바로 옆에 위치한 자리는 다른 사람과 떨어져 앉아 있을 수 있어 상대적으로 편한 자리였다. 지하철 구석에는 노약자석이 별도로 마련되어 있었고, 임산부는 노약자석에도 앉을 수 있다. 나는 보란 듯 눈을 감았다. 허 참. 누군가 혀를 찼다.

공정. 정의. 평등. 노력한 이들이 인정받는다는 건 구시대의 이야기다. 사회는 점점 연약해지고 있다. 세태를 방증하듯 위로와 힐링이 판을 친다. 우울증으로 힘들다느니, 불안 장애를 겪고 있다느니, 불면증으로 잠을 이루지 못한다느니 주저리주저리 늘어놓는 인간들을 보면 정신병도 훈장으로 여긴다 싶다. 연약한 이미지를 전시하고 싶은 것이다. 위로와 동조를 구하면서 관심의 주인공이 되고 싶은 욕망의 발로다. 나는 그런 짓은 하지 않을 것이다. 약하면 도태될 뿐이다. 다들 알고 있지 않은가.
그게, 세상의 이치 아닌가.

에어컨 바람이 머리 위로 쏟아졌다. 노곤해서 눈
을 감았고 정류장 하나를 지나친 뒤에 잠에서 깼다.

다음 날엔 꼼짝도 하기 싫었다. 출근 전까지 잠
만 잤다. 아버지는 거실에서 선풍기를 틀어 놓은
채 졸고 있었다. 드문드문 아버지의 푸념 섞인 한
숨이 거실을 빙빙 돌았다. 예리가 잔소리를 시작했
다. 잠든 나를 깨우는 외침이 그 첫마디였다.

"또 내 지갑에 손댔어?"

기억이 나지 않았다. 그랬을지도 모른다. 배가
고파서, 사고 싶은 것이 있어서, 습관처럼 예리의
지갑을 뒤졌는지도 모른다. 솔직히 말하자면 그런
사소한 일은 기억하고 싶지 않았다. 내 두뇌가 좀
더 가치 있는 계산을 위해 움직였으면 했다. 나는
등을 돌려 누우며 말했다.

"나 자고 있잖아."
"그러니까 일어나서 말 좀 해 보라고."
"예리야. 나 잔다니까."
"지갑에 손댔냐니까."
"꼭 지금 얘기해야 해?"
"지금 안 하면 언제 하는데. 어차피 하루 종일 잠
만 자잖아."

예리가 발로 등을 찔렀다. 나는 불쑥 팔을 뻗었다. 짧은 머리카락이 손에 잡혔다. 이러면 어쩔 건데. 내가 휘두르는 대로 끌려다닐 거면서, 왜 바득바득 개기는데. 경험한 적 없는 쾌감이 질주했다. 내 발목을 잡기만 하는 주제에. 책임은 다하지 않고 권리만 주장하는 이기주의자 주제에. 가슴이랑 자궁이 달렸다는 이유로 공정하게 살지 않아도 되는 거야? 그런 거야?

악, 악 하고 예리가 발악했다. 귀가 아팠다. 내가 그나마 휴식할 수 있는 짧은 시간에도 예리는 모기처럼 나를 귀찮게 했다. 예리의 머리를 움켜쥐고 양쪽으로 휘둘렀다. 기세 좋게 대들 때와는 달리 이제는 그리 사납지 않았다. 낚인 고기처럼 퍼덕거릴 뿐이었다. 나는 예리를 방에서 쫓아내고 문을 닫았다. 분노는 끓는데 동시에 부끄러웠다. 누군가의 목소리가 사방에서 속삭였다. 괜찮아. 예리가 먼저 잠을 깨웠잖아. 네 휴식을 방해했잖아.

침대에 누워 있는데 방문이 슬그머니 열렸다. 아버지였다. 더운 기운이 옆에 와 닿았다. 나는 몸을 틀어 아버지와 거리를 벌렸다. 아버지는 요즘 일거리가 부쩍 줄었다고 했다. 개인 용달은 콜을 받아서 하기 때문에 좋은 일감을 찾기가 쉽지 않았다. 보통은 다마스에 꾹꾹 눌러 담으면 될 만큼 적은 짐들이 나왔고, 1톤짜리 화물은 나오기 무섭게 젊

당신의 신은 얼마

은 사람들이 채 갔다. 기껏 콜을 잡아도 수수료가
15퍼센트나 됐다. 일감을 찾기 어려우니 속칭 주차
장이라고 하는 작은 중개 사무소에 들어가 일거리
를 기다렸다. 보통은 이삿짐 견적을 잘못 맞추는
바람에 급히 남은 짐을 나르는 일이 주어졌다. 운
이 좋아야 하루에 10만 원을 벌었다. 그런데도 아
버지는 수시로 핑계를 댔다. 몸이 안 좋아서, 졸려
서, 배가 고파서 일을 하지 않는 날이 많았다.

"정환아."

"왜요."

"하루 종일 누워 있지 말고 산책 좀 다녀와라. 친
구라도 만나든지."

"싫어요."

"방금 예리한테는 왜 그랬니."

아버지가 가만히 있을 때가 좋았다. 감정이 부딪
친다. 관심은 독이다.

"버릇이 없어서요."

아버지가 거리를 좁혀 앉았다. 내 팔에 손을 얹
었다. 그 뜨끈한 살갗의 촉감이 미치도록 싫었다.

"정환아."

"아, 왜요."

"너 요즘 좀 이상하지 않니."

"어떻게요."

"··· 아니다."

속에서 도사리는 것. 괴물처럼 일렁이는 것이 아버지를 밀어내고 있다. 목소리들이, 아버지와 예리를 멀리하라고 말한다. 나는 기꺼이 순응한다.

"할 말 없으면 나가요."

아버지는 일어섰다. 문을 나서기 전 몸을 돌려 말했다.

"너 진짜 할 거냐."

"뭘요."

"전에 말한 거 말이다. 돈 받고 사람 죽이겠다고 했잖아."

도라지 씻던 날 했던 이야기를 떠올린 모양이었다.

"제가 언제 그랬어요. 그런 가정을 해 봤다는 거잖아요. 만약에 그렇다면, 어떻게 하겠느냐, 이야기잖아요."

"그럼 이력서라도 좀 써라. 사람 죽일 배짱이 없으면 취직이라도 해야지. 공인중개사 자격증이라도 따. 공무원 준비라도 해."

"그러는 아버지는 뭘 하고 있는 건데요."

"내 일은 내가 알아서 한다."

알아서 하지 않았으면 했다. 그냥 아무것도 하지 않고 찌그러져 있었으면 했다. 번잡한 감정만큼이

나 거실에 날파리가 득실거렸다. 예리는 쓰레기통에 꼭 수박 껍데기나 생선 뼈를 버렸다. 아무리 밀봉을 해도 여름에는 금방 벌레가 꼬이니까 냉동실에 넣어 두거나 잘게 썰어서 변기에 내려보내라고 하면 환경을 생각하라는 말이 돌아왔다. 환경을 살리는 것도 좋은데 일단 먹고사는 게 더 중요하지 않니. 벌레가 생기면 다 차지도 않은 봉투를 버려야 하잖니. 사람이 융통성이 있어야 하지 않겠니. 나는 그런 말들로 응수했다. 결론을 내리지 못하는 대화였고, 우리는 그저 이 덥고 짜증 나는 여름이 지나가기를 기다렸다.

골목에 쓰레기봉투를 내놓았다. 물건을 별로 사지도 않는 집에서 쓰레기는 왜 이렇게 계속 나오는 건지 궁금했다. 가진 것도 없는 주제에 버릴 것이 이렇게 많은 삶이 서러웠다. 손가락 사이에 엉킨 예리의 머리카락을 함께 버렸다. 그리고 래더코인의 가격을 확인했다. 언제든 현금화할 수 있는 돈이 5억가량이었다. 그 비현실적인 숫자를 보고 있으려니 이게 최고점일 것 같다는 생각이 들었다. 앞으로는 떨어지는 일만 남은 듯싶었다.

골목에 앉아 가상의 추세선을 그렸다. 기사를 스크랩하고 언론에 나온 금융 당국의 코멘트를 분석했다. 그러는 사이 숫자는 뒤죽박죽이 됐다. 도저히 미래를 가늠하기 힘든 수식, 엇갈리는 그래프,

혼란한 단서들이 날아들었다. 그 사이에서 뭔가를 봤다. 반짝이는 계시, 설명하기 힘든 전언이었다. 이 복잡한 알고리즘과 모든 설명을 한 몸에 구겨 넣은 내가, 내 머리가 도출한 찰나의 결론이 눈앞에 미래를 펼쳐 보였다. 숫자가 속삭였다. 이 기회를 놓쳐서는 안 된다고. 지금 현금화를 하고, 다른 곳에 투자를 해야 수익을 극대화할 수 있다고. 지금이다. 지금 해야 한다.

나는 알 수 있었다.

*

절대 모르죠.

개인이 어떻게 코인의 변동성을 짐작하겠어요. 알고 있다고 착각하는 거예요. 결국은 우리가 짜놓은 미로 속에서 헤맬 뿐이에요. 코너를 돌 때마다 먹이를 하나씩 집어 먹다 보면 미로의 막다른 곳까지 들어와요. 거기 가서는 자신들이 그 미로를 만들었다 착각하더라고요. 우리가 위에서 다 내려다보고 있는데.

코인값이 치솟았어요. 양 이사가 흥분했죠. 제가 처음 주식으로 부자가 되었을 때와 비슷한 기분이었을까요. 좋은 꿈을 꾸고 있었겠지요? 그럴 만했어요. 어떤 날은 거래량이 수조 원에 달했으니까요. 숫자가 좀 크죠? 총 유통 금액이 아니라 거래량이니까 가능한 일이에요. 그것도 MM이 하는 일이죠. 만 원을 가지고 만 번 사고 팔면 거래량이 1억이 되는 거예요. 속기 쉬운 착시예요. 열심히 관리한 덕에 래더코인에 대해서는 작전 세력이 개입했다는 말이 거의 나오지 않았어요. 작전 코인들은 며칠 만에 몇 배씩 오르다 한순간에 고꾸라지기 마련인데 래더코인은 몇 달에 걸쳐서 꾸준히 상승 곡선을 그렸으니까요.

코인 하는 사람들 사이에서 래더코인이 언제 고점 찍느냐 가지고 말이 많았어요. 대부분은 아직 고점 가려면 한참 남았다는 의견을 냈고요. 만 원까지는 무난하게 갈 거라는 소리가 나온 시기가 그때쯤이에요. 2년 전에는 고작 50원짜리였는데 말이에요.

주식 투자에 성공한 후로 쭉 제가 부자라고 생각했는데, 새로운 세계가 열린다는 느낌이 들었어요. 운에 의지하지 않아도 되겠다는 생각이 들기도 했고요. 자본은 힘이구나. 자본이 있으면 세상을 조금은, 움직일 수 있겠구나. 이다음 단계에는 뭐가 있을까요.

편한 길을 갔다면 이 정도의 성취는 이룩하기 힘들었겠죠. 부자가 되려면 귀를 닫아야 하는 건지도 몰라요. 신념. 심지. 그런 거 있잖아요.

죄책감이라. 그다지요. 저는 제가 할 수 있는 일을 했을 뿐인걸요. 숫자 뒤에 있는 사람들의 얼굴은 보이지 않아요.

숫자에는 표정이 없어요.

12. 10102.3% = ₩501,260,940

하루는 한 사장이 직원들과 면담을 했다. 으레 하는 정신교육이라기에는 가게 분위기가 좋지 않았다. 이야기를 끝내고 온 직원들은 죄수처럼 고개를 숙이고 있었다. 뭐래? 물어도 대답하지 않았다. 면담을 끝낸 한 사장이 주방으로 왔다. 뒤꿈치를 망치처럼 찍으며 다가오는 모습이 어째 불안했다. 주방 입구에서 허리춤에 손을 얹고 한숨을 쉬던 한 사장이 나를 불렀다.

"이정환. 잠깐 이리 와 봐."

우리는 테이블을 사이에 두고 마주 앉았다. 한 사장이 날 바라보는 시간이 길었다. 나는 눈싸움을 할 때처럼 눈썹 한 번 움찔하지 않았다. 먼저 눈을 비비며 긴장을 푼 쪽은 한 사장이었다.

"너 몇 살이지?"
"스물아홉요."

"내년에 서른이네. 취직 안 해?"

"그건 왜 궁금하세요?"

"언제까지 일할 건가 해서."

"안 잘리면 계속 하려고요."

한 사장이 피식했는데, 좀 쓰게 느껴지는 웃음이었다.

"너 혹시, 일 끝나고 집에 갈 때 치킨 챙겨 가고 그러니?"

나는 주위를 둘러봤다. 누가 꼰질렀을까. 와사비에 담배 냄새를 풍기는 녀석일까. 들어온 지 얼마 되지 않아 정의감이 넘치는 신입일까. 어쩌면 퇴사하기 전에 혜영이 내부 고발을 자청했을까.

"돈 주고 사면 되잖아. 직원들이 산다고 하면 내가 싸게 해 주잖아. 재료도 가끔 가져갔다며. 소스랑 음료수 같은 것도 챙기고. 왜 그랬어? 어디 팔기라도 했어?"

한 사장은 허리를 낮추고 가까이 오라는 손짓을 했다. 다른 사람이 듣지 못하게 조용히 얘기했다.

"너 혹시 돈에도 손댔니?"

눈에 띌 만큼 가져가지는 않았다. 퇴근이 늦어져 택시를 타고 나면 다음 날 택시비 정도만 챙기고는 했다. 맞지도 않은 따귀가 얼얼했다. 나는 이를 앙

다물었다.

"너한테 잘해 준 것 같은데 왜 그랬어. 네가 이러
면 우리가 같이 일하기가 너무 불편하잖아."

한 사장이 테이블을 톡톡 두드렸다.

"대답 안 할 거야?"
"…."
"야, 이정환."
"…."

한 사장이 핸드폰에 달력을 열어 놓고 생각에
잠겼다. 날짜들을 더듬는 손가락이 닭발을 닮았
다. 나중에 돈을 벌면 닭발 장사도 해 볼까. 누린내
가 나지 않도록 매운 양념을 바르고 바싹 구운 뒤
에 술 한잔을 곁들이면 그만한 안주가 없지. 통, 통.
생각이 튀었다. 목소리가 나를 유혹했다. 닥치라고
해. 입을 다물라고 얘기해. 멱살을 쥐고 흔들어.

"다른 사람 구할 때까지만 있어. 다음 주 정도면
될 거야."

왜 이 인간은 결론을 내려 놓고 질문을 하는 걸까.
의리를 외치는 작자들이 공정하게 행동하는 모습을
본 적이 없다. 한 사장도 마찬가지일 것이다. 부모의
성취를 자신이 노력한 결과라 주장하는 부류일 것이
다. 나는 주먹을 쥐고 턱을 꼿꼿이 세웠다.

당신의 신은 얼마

"… 사장님, 나한테만 되게 뭐라 그러네요."

"뭐?"

"혜영이한테는 잘해 줬잖아요. 잘 보이려고 그랬잖아요. 월급은 똑같이 주면서 개한테만 쉬운 일 시켰잖아요. 그러면 뭐, 개가 좋아할 줄 알았어요?"

한 사장은 벼슬을 팽팽하게 긴장시킨 쌈닭 같은 태도로 자리를 박차고 일어섰다. 나도 덩달아 일어났다. 버럭 화를 낸 것까지는 기억이 났지만 그 이후에는 아드레날린이 대신해서 입을 놀려 준 것 같았다. '나이를 먹을 만큼 먹은 사람이'라거나 '인격이 없는 걸 보니 사람이 아닌 것이 분명하다'라거나 '널 낳은 너희 부모가 불쌍하다' 같은 말을 했던 기억만 어렴풋이 났다. 어느새 나는 다른 아르바이트생 둘에게 양팔을 붙잡힌 상태였고 한 사장은 살인 사건이라도 목격한 듯한 얼굴로 날 노려봤다.

다툼이 어떻게 끝났더라. 어떻게 집으로 돌아왔더라. 기억은 흐릿했지만 그날 내 모습은 이전과는 확실히 달랐다. 잔뜩 흥분한 채로 집에 돌아온 나는 더 이상 소심하고 약한 이정환이 아니었다. 많은 사람의 인격이 내 몸에 들어온 느낌이었다. 한 번 변신한 다음 예전으로 돌아가는 법을 잊은 것 같았다.

출근하지 않는 삶, 소속이 없는 나날이 시작됐다. 무직자의 낮과 밤은 경계를 잃었다. 나는 자정에서 새벽으로 취침 시간을 옮기다 마침내 밤의 삶을 살기 시작했다. 해가 뜨면 커튼을 쳤고 어둑해지면 잠에서 깼다. 이따금 잠을 설쳤지만 대개는 죽은 것처럼 누워 있었다. 새벽 5시에 잠이 들 때는 너무 늦게 잔다고 표현할 수 있었지만 아침 8시에 잠들게 되니 더 이상 늦은 잠에 든다고 말할 수가 없었다. 그건 취침도 아니고 기절도 아닌, 그저 낭비나 단절처럼 느껴졌다. 어쩔 때는 오후 3시에 침대에 누웠다가 밤 10시가 넘어서 일어나곤 했는데 낮잠이라기에는 너무 긴 수면이었다. 요일을 잊어버리기 시작했고 오전과 오후를 구분하지 못했다. 그렇게 이어지던 더운 여름날의 어느 느지막한 오후에 나는 이 비린 일상을 탈출하기로 결심했다. 샤워를 끝내고 젖은 머리를 닦았다. 군복 하의와 군화를 꺼냈다. 먼지를 뒤집어쓰고 박스에 들어 있던 옷에서 나프탈렌 냄새가 났다.

"아버지. 차 좀 빌려주세요."

"어디 쓰게."

"친구가 이사한대요."

"내가 몰아 줄까?"

"저도 운전할 줄 알아요."

"그래라 그럼. 나한테는 얼마 줄 거냐?"

바닥에 먼지가 많았다. 무언가의 부스러기를 손으로 찍어 불어 날렸다. 작고 가벼운 파편이 먼 곳

당신의 신은 얼마

까지 날아갔다. 아버지가 헛기침을 했다.

"3만 원 드릴게요."

아버지는 열쇠를 던지며 말했다.

"기름도 좀 넣어 놔라."

일주일 만에 하는 바깥 구경이었다. 집은 언제나 어둡고 눅눅했는데, 밖은 예상 외로 화창해서 놀랐다. 용달차 문에는 녹이 슬어 있었다. 짐을 고정하기 위한 녹색 그물이 짐칸에 널브러져 있었고 군데군데 이가 나간 검정 고무 끈이 투박한 모습으로 구석 자리를 차지하고 있었다. 뒤쪽 유리창에는 먼지가 뿌옇게 덮여 있었고 앞 유리에는 새똥이 떨어져 있었다. 워셔액을 뿌리고 와이퍼를 작동시켰다.

배달 기사들은 어디건 간다. 쪽방이건 고층 건물이건 사무실이건, 심지어 다른 음식점에도 음식 배달을 한다. 그런 점에서 배달 기사들은 공평하다. 가장 편견 없는 시선으로 세상을 관조하는 사람들인지도 모른다. 하지만 자정이 넘은 시간의 재개발 지역 폐가라면 이야기가 다르다. 담력 시험이라도 하려는 것이 아니면 기사들은 그곳에서 온 콜을 쉽게 잡지 않는다. 박정배는 그 일을 한다고 했다. 무서운 게 없으니까.

숨어 있는 부랑자나 청소년은 보이지 않았다. 술

병과 담배꽁초가 널브러져 있을 뿐이었다. 서서히 무너지기 시작하는 콘크리트의 표면은 차가웠다. 그 위에 뺨을 식혔다. 어둠에 눈이 익숙해지는 사이 폐가는 조금씩 기울었다. 중력이 당기는 방향으로 조금씩 주저앉고 있는 것이다. 눈에 띄지 않게, 하지만 분명히.

하늘이 어둑어둑하게 저물었다. 아버지가 일할 때 쓰는 랜턴을 켜고 배달 서비스 앱을 열었다. 도시락 포장이 된 족발, 여덟 조각으로 나뉘어 있는 피자, 군만두 서비스가 곁들여진 짜장면, 세 가지 다른 김밥이 한 상자에 들어 있는 모둠 세트, 스물한 피스짜리 초밥을 차례로 주문했다. 배달 기사가 몰래 조금씩 빼 먹기 좋은 음식의 리스트였다. 주문을 끝낸 뒤에는 미리 준비한 맥주 페트병과 컵을 내려놓았다. 먼지 냄새를 맡으며 바닥에 누웠다. 랜턴이 비추는 썩은 벽지의 얼룩이 핏자국을 연상시켰다. 여름이지만 바닥에 닿은 등이 서늘했다. 다리가 많은 벌레들이 사방에서 바스락거렸다.

예상과 달리 담력 좋은 배달원은 한둘이 아니었다. 그래야 살아남을 수 있는 시절이었다. 팬데믹으로 배달 수요가 넘쳤고 그만큼 배달 기사도 늘어난 탓이었다.

짜장면과 군만두가 제일 먼저 도착했고 피자가 그다음이었다. 족발과 모둠 김밥이 도착한 다음에

당신의 신은 얼마

야 박정배가 초밥을 들고 나타났다. 카드 단말기를 들어 보이며 배달요, 하고 외치는 박정배를 나는 단박에 알아봤다.

"안으로 좀 들어오실 수 있어요?"

폐가의 가장 깊숙한 곳까지 박정배가 불려 왔다. 나는 마스크를 쓰고 어둠 속에 앉아 있었다. 등 뒤에 켜 놓은 랜턴이 음산해 보였을 것이다. 계산을 하기 전 주문한 음식의 포장 상태를 확인했다. 박정배가 불편한 내색을 했다.

"계산부터… 배달 밀려서 바쁩니다."
"잠깐만요, 아저씨. 여기 피스 하나가 부족한 것 같은데요."
"그걸 내가 어떻게 알아요. 가게에 따지셔야지."

이다지도 전형적인 변명은 죄가 많은 인간의 습관이겠지. 나는 조금 더 용기를 내 말했다.

"아저씨, 진정하세요. 저 정환이에요."

박정배가 날 알아봤다. 불편해 보이던 눈빛이 활짝 밝아졌다.

"정환? 아… 이정환이."
"네. 괜찮으니까 여기 좀 앉으세요."

박정배가 헬멧을 벗었다. 실드 뒤에 숨어 있던 지친 얼굴이 드러났다. 땀에 젖은 머리카락이 이마에 해초처럼 달라붙어 있었다.

"이런 데서 뭐 해?"

"촬영 좀 하려고요."

"아. 무슨 인터넷 방송 그런 거? 요즘 애들 먹는 거 방송한다 그러던데."

"비슷한 거요."

"있잖아, 초밥은 그냥 맛이나 보려고 그랬어. 가게에는 비밀로 해. 무슨 말인지 알지?"

나는 음식을 앞으로 내밀었다.

"네, 괜찮아요. 다음 콜 잡은 거 있어요? 없으면 같이 좀 드세요."

박정배가 머뭇거리는 기색이 느껴졌다. 내가 먼저 족발 하나를 집어 먹었다.

"드세요, 아저씨. 진짜로요. 많이 시켰어요. 맛있어요. 드세요."

에라. 박정배가 한 점을 집어 들었다. 연골이 으스러지는 소리. 분쇄된 고기를 삼키며 꿀렁거리는 울대. 박정배가 엉덩이를 비비며 편한 자세를 잡았다.

"맛있네. 치킨은 없어?"

"없어요. 치킨은 너무 물려서요."

"왜. 치킨 좋은데. 난 평생 치킨만 먹고 살 수도 있어."

당신의 신은 얼마

"그러지는 마세요."

"정말이야. 그럴 수 있어."

"김밥도 맛있잖아요. 값은 훨씬 싸고."

"치킨이 백 배는 더 맛있어."

박정배는 한 손으로 굳은 짜장면을 저으며 다른 손으로는 피자를 집었다.

"아저씨. 참 겁이 없네요. 제가 약이라도 탔으면 어쩌려고 그러세요."

"탔어?"

"설마요."

우리는 웃음을 터뜨렸다. 입안 가득 음식을 우물거리던 박정배가 페트병을 가리켰다.

"저거 맥주야? 한잔 괜찮을까."

"그럼요."

몸을 뒤로 젖혀 앉은 박정배는 대담하고 여유로워 보였다. 둘만 있는 폐쇄 공간에서 자신이 힘의 우위를 차지하고 있다는 걸 자각한 뒤로는 예의를 차리지 않았다. 배를 두드리며 긴 트림을 토했다.

"참. 빌린 돈은 곧 갚을게."

"네. 천천히 갚으셔도 돼요."

"금방 돼. 이번 달에 배달이 많아."

우리는 식사를 계속했다. 박정배는 왜 내가 짜장

면에는 손도 대지 않는지, 맥주는 마시고 싶지 않은 건지 물어보지 않았다. 나는 김밥과 초밥의 시큼한 밥알이 잘게 바숴질 때까지 씹었다. 맛이 달았다.

"아저씨. 아저씨는 나쁜 사람이에요."

심드렁하게 던진 말에 박정배가 눈을 치켜떴다.

"죄송해요. 아저씨 감옥 갔다 왔다고 했잖아요. 그 말이 생각나서요."
"재판을 받았고, 벌 받고 나온 거지."
"벌을 받으면 다 끝나는 건가. 아저씨가 나쁜 사람이라는 게 달라지지는 않잖아요."
"반성하고 뉘우치면 다 끝나지. 나는 예전의 내가 아니야."
"그런가. 사고였다고 그랬죠."
"응."
"진짜 사고 맞아요?"
"그렇다니까. 사고."
"원한을 산 적도 없고요?"

박정배는 기억을 더듬었다. 야릇한 침묵이 찾아왔다. 나는 빈 컵에 맥주를 따라 건넸다. 박정배는 잔을 비웠다.

"없겠니. 많지."
"저, 사실 아저씨 납치해 달라는 의뢰를 받았어요."

박정배가 피식 웃었다. 밥알이 입 밖으로 튀었다.

당신의 신은 얼마

"진짜예요. 그래서 아저씨 따라다닌 거예요. 아저씨 집에 숨어 있었던 적도 있어요. 베란다에요. 아저씨가 잘 때 몰래 빠져나왔어요. 그때 지갑을 떨어뜨린 거예요. 아저씨도 이상하다고 했잖아요. 뭐 하러 거기까지 가서 전단지를 붙이겠냐고요. 주소를 말해 준 적도 없는데 집이 어딘지는 또 어떻게 알고요. 잘 알지도 못하는 사람한테 그렇게 돈을 빌려주는 사람이 어디 있어요."

시한폭탄 같은 카운트다운이 시작됐다. 셋, 둘, 하나. 폭발하듯 질문이 날아왔다.

"누구야. 누가 시켰어. 원규? 최용문이? 박정욱이?"
"송현기요."

박정배가 어깨를 늘어뜨렸다. 지난 모든 일이 납득된 모양인지 긴 한숨을 뱉었다.

"이유는 들었어?"
"뭐, 그게 중요한가요."

나는 일어섰다. 허벅지가 뻐근했다. 우선은 물부터 한 모금, 그리고 기지개. 바지춤에 넣었던 칼을 빼 들었다. 어떻게 하겠다는 생각은 없었다. 휘두르고 베고 찌르는 건 현기의 영역이었다. 내 역할은 그저 박정배를 현기 앞에 데려다주는 거였다. 그 전에 사람을 좀 얌전하게 만들어 놓고 싶었다. 나는 힘이 없지만 이 날카로운 칼은 그럴 수 있을 것 같았다. 박정배는 얼음송곳을 들었다.

풉. 나는 머금었던 물을 뿜었다. 박정배는 영리하고 악한 인간이었지만 정작 얼음송곳 뒤에 숨은 모습은 어설프고 허술해 보였다. 배달을 하면서도 저걸 들고 다녔구나. 저딴 도구에 의지해야만 버틸 수 있는 인간이었구나. 저런 인간도 남에게 상처를 입히고, 교도소에서 죗값을 치르는구나.

이상하게도 긴장감이 없었다. 싸움을 할 때는 선제공격이 중요하다지. 다리를 높게 올려 박정배의 손을 걷어챘더니 얼음송곳은 힘없이 튕겨 나갔다. 박정배는 말처럼 푸르륵거리다가 머리로 내 배를 들이받았다. 우리는 한 덩어리가 되어 굴렀고 먼지를 뒤집어썼다. 아직 낫지 않은 손과 턱이 걸리적거렸다. 그 틈에 박정배가 먼저 일어섰다. 원숭이처럼 내 위에 올라타 주먹을 던졌다. 귀에서 이륙을 앞둔 비행기 엔진 소리가 났다. 머리에, 어깨와 배에 맞고 튕겨 나간 주먹이 고무줄처럼 돌아와 물렁물렁한 근육을 파고들었다. 박정배는 토할 것처럼 숨을 헐떡였고, 그러면서도 주먹질을 멈추지 않았다. 발길질이 이어졌다. 단화의 단단한 앞코가 급소를 강타했을 때는 나도 모르게 신음이 새어 나왔다.

고백건대 그 짧은 다툼을 벌인 1분도 되지 않는 시간이 내 인생에서 가장 열정적인 순간이었다. 나는 최선을 다해 발버둥 쳤다. 살아남기 위해서였고 더 높은 곳으로 가기 위해서였다. 박정배를 밀쳐 내고 벽에 기대 있던 파이프를 들었다. 어깨 높이에서 전력으로 휘두른 파이프가 박정배의 관자놀이에 적중했다. 박정배가 주저앉았다. 입으로는 깊은 숨을 몰아쉬었고 눈에는 핏발이 섰다. 전원을 내린 것처럼 내 마음속에서 광기가 사라졌다. 나는 모로 누워 발작하는 박정배 옆에 앉았다. 옆구리가 욱신거렸다.

"아저씨. 괜찮아요? 좀 누워 있어요. 숨 쉬어요."

박정배의 입 가까이 귀를 가져갔다. 호흡이 확연하게 느렸다. 게슴츠레 뜬 눈이 불안하게 주위를 살폈다.

"졸려."
"가만히. 가만히 있어요. 괜찮아요."
"왜 이렇게 피곤하지…."
"현기가 그러는데, 많이 움직이면 혈류량이 늘어난대요. 피가 빨리 돈다는 소리예요."

박정배의 눈꺼풀이 천천히 내려왔다. 졸린 눈빛 사이로 두려움이 스쳤다.

"탔어? 약?"
"네. 탔어요."
"아. 시팔."

박정배는 긴 하품과 함께 깊은 잠에 빠졌다. 배

와 목을 긁었다. 호흡은 안정을 되찾았다. 나도 긴한숨을 뱉었다. 사방에 푸닥거리의 흔적이 가득했다. 옷에 묻은 먼지를 털고 나서야 몸 여기저기가 망가져 있음을 알았다.

살기 위해 발버둥 치는 박정배는 필사적이었다. 나도 목숨을 걸었다. 똑같은 목숨과 똑같은 육체가 똑같은 이유로 부딪쳤는데 왜 내가 이겼을까. 나이가 어려서? 박정배가 약에 취해서? 아니다. 내가 더 절실해서 이긴 것이다.

먼지가 부유하는 공기를 잘게 씹어 삼켰다. 이윽고 박정배가 살아 있는 인간이 아니라 냉장고나 세탁기, 텔레비전처럼 사각형의 주형 틀에 반듯하게 끼워 맞춘 가전제품처럼 느껴지는 순간이 찾아왔다. 아니. 그것들과는 좀 달랐다. 버튼과 사출구가 보였다. 모니터를 가진 배불뚝이였다. 박정배는 ATM기였다. 입에서 현금을 토해 낼 것 같았다. 배에는 음식이 아니라 현금이 들어 있을 것이다. 인출 버튼을 눌러야지. 비밀번호를 눌러야지. 현기에게 보고해야지.

"현기야. 나 지금 박정배랑 함께 있어. 재개발 지역이야."

나는 현기가 칭찬을 해 줄 거라 생각했다. 고생했다, 과연 내 친구다, 넌 역시 보상을 받을 자격이 있다. 하지만 현기는 대뜸 호통을 쳤다. 촘촘하게

당신의 신은 얼마

날이 선 말투로 식식거렸다.

"야. 너 미쳤어? 거기서 나한테 전화를 왜 해!"
"네가 말한 대로 했다니까. 괜찮아, 현기야. 박정
배는 자고 있어."
"뭘 어떻게 했는데. 차근차근 말해 봐."

현기는 뭔가를 씹다가 뱉었다. 손톱. 거스러미.
아니면 입술. 현기는 초조해했다.

"배달을 시켰어. 박정배가 올 때까지. 다섯 번 만
에 왔어. 초밥을 하나 훔쳐 먹었길래 괜찮다고
하고…. 같이 밥을 먹었어. 그런데 내가 음식에
졸피뎀을 타 놨었거든. 맥주에도 섞고."
"졸피뎀을 넣었어?"
"그랬다니까."
"확실히 넣었지? 박정배가 그걸 먹었다는 거
지?"
"많이 먹었어."
"정환아. 그건 졸피뎀이 아니야."

현기가 가쁜 호흡을 토했다. 그게 웃음이라는 걸
눈치채기까지 시간이 걸렸다.

"그럼 뭔데."
"비슷한 거야. 그 약은 사람을 좀 오래 재워."
"오래? 얼마나 오래?"
"아주 오래. 잘했어. 잘 처리한 거야. 네가 칼을

쓸 일이 없었으면 했거든. 잘됐어. 다 잘됐어."

"박정배가 움직이질 않는다니까."

"야 정환아. 내 말 잘 들어. 시체를 거기에 두면
안 돼."

"시체라니 무슨 말이야. 여기 두면 안 된다는 게
무슨 소리야."

심장이 빠르게 뛰었다. 손끝이 저렸다. 썰물처럼
피가 빠져나가는 듯했다.

"나한테 무슨 약을 준 거야? 내가 뭘 먹인 거야?"

"다 잘됐다니까. 어땠어? 그 인간 뒈질 때 고통스
럽게 갔지? 게거품을 물고 혀를 빼물었지? 그 약
을 먹으면 속이 뒤집어진다던데. 정말 그랬어?"

그렇지 않아. 박정배는 너무 편안해 보여. 살아
있는 것 같아. 살아 있을지도 몰라. 그렇다고 말해
줘. 내가 죽인 게 아니라고 말해 줘. 하고 싶은 말
은 기어 들어가고 다른 단어들이 혀끝을 굴렀다.

"이 아저씨… 어떻게 하라고? 여기 놔두면 안 된
다고?"

"안 된다니까. 네가 나한테 전화를 했잖아. 경찰
이 시체를 발견하면 사망 시간을 추정할 거야.
그런 뒤에는 기지국 통화 목록을 뒤지겠지. 그
외진 곳에서 이 시간에 전화를 하는 사람이 몇
명이나 되겠어. 난 박정배와 접점이 있잖아. 용

당신의 신은 얼마

의선상에 금방 오를 거야. 아무도 모르는 데다 숨겨 놔. 내가 보러 갈게. 지금 말고. 내일 저녁."

"이걸 어디에 두란 말이야."

"문제없을 거야. 내가 내일 간다니까. 같이 처리 하면 돼."

전화가 끊어졌다. 랜턴을 돌려 어둠 속의 시체가 조금씩 회색으로 변해 가는 모습을 지켜봤다. 나는 가슴 앞으로 무릎을 끌어모았다. 더운 여름밤은 더 이상 덥지 않았고 어둠은 어둡지 않았다. 익숙하던 세상이 뒤집어졌다. 냉정을 되찾을 때까지 뺨을 때 렸다. 볼이 얼얼하게 부어올랐다. 그러는 사이 내 가 처한 상황이 이해되기 시작했다. 갑자기 눈물이 차올랐다. 뭐라고 정의할 수 없는 감정이었다. 2억 5000만 원 때문이었다. 원하던 걸 손에 넣었는데, 그래서 기뻐야 하는데, 기쁨을 느낄 수 있는 기관 이 내 속에서 사라진 느낌이었다. 박정배의 마지막 호흡이 그걸 뺏어 간 것 같았다.

한참을 울다 눈물을 닦았다. 마음을 추스르고 나 니 우습게도 빌려준 돈이 떠올랐다. 코인으로 벌게 될 돈에 비하면 턱없이 적은 액수지만 지금 챙기지 않으면 영영 돌려받지 못하겠다는 생각이 들었다. 박정배의 조끼 주머니에 지갑과 휴대폰이 들어 있 었다. 얼마 되지 않는 돈을 챙기고 휴대폰에 있던 내 연락처와 통화 기록을 삭제했다. 그런 일들을 차근차근 수행하면서 나는 조금씩 경계를 넘어섰다. 마음이 단단해지고 손끝에 힘이 들어갔다. 앞으로 해야 할 일을 명확하게 정리할 수 있었다. 시체를 수습하고, 내일 현기와 함께 처리할 곳을 찾아야지. 플랫업 비밀번호를 넘겨받고 코인을 현금으로 바꿔야지. 행복한 인생을 살아야지.

지갑과 휴대폰을 원래 자리에 돌려놓는데 박정배의 가슴이 천천히 오르내렸다. 착각인가 했지만 코 아래 손을 갖다 댔을 때는 바지에 오줌을 지릴 뻔했다. 박정배가 콧김을 뿜고 있었다. 더운 숨에 손을 데인 것처럼 나는 물러섰다. 박정배는 막힌 변기가 뚫리는 듯한 한숨과 함께 쿨럭거리기 시작했다. 초점을 잡지 못한 눈동자가 방황하고 있었다.

"물."

목소리가 갈라져 철가루를 비비는 소리가 났다. 박정배는 목을 할퀴었다. 갈증으로 미쳐 가고 있었다. 나는 생수병을 손에 쥐여 준 다음 뒤로 물러섰다. 박정배는 힘이 들어가지도 않는 손으로 뚜껑을 열고 입에 물을 부어 넣더니 속에 든 것을 게워 내기 시작했다. 의도적으로 한 행동이 아니었다. 위장이 스스로 독성 물질을 역류시키는 것이었다. 긴 트림이 이어졌다. 박정배는 천천히 주위를 살폈다. 공포에 질린 눈이 내게 꽂혔다. 한 인간이 내부의 작은 지점을 향해 구겨지고 있었다.

당신의 신은 얼마

"살려 줘."

박정배는 입구를 향해 기었다. 신음을 짜내면서 손가락을 뻗어 바닥을 끌어당겼다. 바닥은 미끄러웠다. 박정배는 쉽게 전진하지 못했다.

"살려 줘."

나는 천천히 그 뒤를 따랐다. 어떻게 해야겠다는 생각이 들어서는 아니었다. 살충제를 들이마신 바퀴벌레를 지켜보고 있는 쪽에 가까웠다. 이 일의 끝이 어떻게 될지가 궁금했고 박정배가 정말 살아날 수 있을지도 궁금했다. 박정배는 문턱이 있는 곳까지 기어갔다. 바닥에는 박정배가 이동하며 남긴 토사물이 길게 이어져 있었다.

살려 줘. 살려 줘. 제발. 살려 줘. 제발.

박정배의 목소리가 점점 커졌다. 죽다 살아난 인간의 목소리가 그렇게 클 거라고는 예상하지 못했다. 있는 힘껏 내지른 비명은 밤하늘을 울렸다. 나는 박정배의 입을 막았다. 박정배는 안간힘을 쓰며 돌아누워 내 손가락을 물었다. 살점이 떨어져 나갔다. 눈을 질끈 감게 만드는 격통이 뒷머리를 후려쳤다. 나는 남은 손으로 박정배의 목을 움켜쥐었다. 목소리들이 말했다. 하나가 되어 소리쳤다.

가자. 가. 이대로. 가는 거야.

우리는 놀이 기구에 올라탄 거야. 안전벨트는 어

깨와 허리를 단단히 감싸고 있어. 내릴 수 없는 열차가 정점에 서 있어. 올라온 에너지만큼 추락하는 거야. 그 속도, 그 관성 그대로.

팔에 힘이 들어갔다. 눈앞이 뿌옇게 번졌다. 그 사이로 흐릿하게 보이는 혜영의 얼굴이 말했다. 목소리들과 함께 화음을 맞추듯이 오빠, 하고.

원하는 게 있으면 꽉 잡아야 해요.

한번 잡았으면 절대 놓으면 안 돼요.

꽉.

꽉 잡아요. 오빠.

2억.

하고도.

5000이에요.

박정배가 손톱을 세우고 팔을 할퀴었다. 찐득하고 붉은 생채기가 물감으로 그린 것처럼 팔에 새겨졌다. 나는 박정배가 움직이지 않을 때까지 두 손을 조였다. 어깨가 부들부들 떨렸다. 어금니를 꽉 깨물었다. 손아귀 사이의 뭔가가 기분 나쁜 소리와 함께 부러졌다.

박정배의 입 주위에 거품 같은 것이 꼈다. 팔에 박혔던 손톱이 스르륵 빠져나가는 걸 느꼈다. 박정배의 바지는 축축하게 젖어 있었다. 나를 조종하던 노기가 가라앉았다. 박정배는 부드럽고 따뜻했다. 하지만 더 이상 박정배가 움직이지 않을 거라는 걸, 말을 하거나 눈을 두리번거리거나 웃거나 울거나 걷지 않을 거라는 걸 확신할 수 있었다. 이번에는 정말 그랬다. 냉기가 척추를 타고 올랐다. 탈선 직전의 기차처럼 몸이 떨렸다.

밤은 어두웠고 박정배는 생각보다 무거웠다. 시체의 피부에 살갗이 닿을 때마다 차가운 고무를 문지르는 느낌이 들었다. 콧물인지 눈물인지 알 수 없는 끈적한 액체가 묻어 나왔다. 시체를 용달차 짐칸에 올려놓았다. 뭔가가 철판을 두드렸다. 아마 박정배의 머리였을 것이다. 파리 한 마리가 날아왔다. 썩은 내를 맡은 모양이었다. 현기는 파리가 얼마나 높이 나는지 알고 싶어 했다. 나도 그게 궁금했다. 박정배의 썩은 살과 피를 갉아 먹은 파리는 얼마나 높이 날 수 있을지.

박정배는 젖은 낙엽 같은 비린내를 풍겼고 더 많은 파리 떼가 몰려왔다. 작은 점 같은 덩어리가 모였다가 흩어지기를 반복했다. 방수포로 감싼 시체는 얼핏 말아 놓은 도배지나 장판처럼 보였다. 집으로 돌아가는 길에 몇 번이나 과속방지턱을 지났다. 그때마다 박정배의 몸이 나지막하게 퉁기며 짐칸 바닥을 두드렸다.

집으로 돌아가자마자 화장실로 뛰어들었다. 비누로 박박 손을 씻었다. 미끌거리는 것들이 잘 지워지지 않았다. 거울에 비친 내 모습이 엉망이었다. 머리는 산발에 옷은 헝클어졌고 바지는 먼지투성이였다. 이제 어떻게 해야 하지. 뭘 하면 좋지. 누가 내게 답을 주면 좋겠는데, 모두 질문만 던졌다.

신이 있다면 기도라도 할 텐데.

하지만 신은 없다.

사람들이 말하는 신은 없다. 신이 있다면 현실이 이럴 수는 없다.

나는 믿는다. 나는 신이 아닌 것을 믿는다. 나는 사실을 믿는다. 나는 숫자를 믿는다. 나의 신은 숫자다. 모니터에 뜬 숫자가 나의 신이다. 욕망에 따라 오르내리는 이 정직한 그래프가 내 신의 가격이다. 나는 이 신이 내게 번영을 가져다줄 것을, 나의 신념을 알고 나를 위로할 것을 믿는다. 나는 기도한다. 보이지 않는 누군가를 향해 손을 모으고, 속에 담은 말들을 중얼거린다. 당신을 소환한다. 당신에게 토로한다.

도대체 이게 뭐야.

엉망이 돼 버렸잖아.

당신이 세상을 이 모양으로 만들어 놔서 그렇잖아.

당신의 신은 얼마

당신 때문에 내가 사람을 죽였잖아.

현기는 삽을 들고 우리 집으로 왔다. 늦은 저녁
이었다. 비가 쏟아지기 시작했다. 우리는 차에 올
랐다. 현기를 보니 힘든 일은 모두 지나갔다는 생
각이 들었다. 망자를 먼 곳으로 보내고 나면 모든
것이 끝날 것이다. 아무 일도 없었다는 듯이 세상
은 제자리를 찾을 것이다.

현기가 미리 봐 둔 곳이 있다고 했다. 안개등이
검은 도로를 밝혔다. 두 시간을 넘게 운전하는 동
안 현기는 조수석에서 졸았다. 등받이에 몸을 기대
고 고개를 내 반대편으로 꺾은 채 도착할 때까지
한 번도 일어나지 않았다. 목적지에 거의 도착했다
는 사실을 귀신같이 알아차린 다음에야 인터넷 라
이브 방송을 켰다. 주식과 코인 시황을 알려 주는
방송이었다. 진행자의 목소리가 격앙돼 있었다. 금
융위 발표, 초강력 제재 같은 표현을 되풀이했다.

현기가 봐 뒀다는 곳은 도로 양쪽으로 펼쳐진 검
은 산이었다. 아무도 찾지 않을, 조금만 관리가 뜸
해지면 수풀이 제멋대로 자라 버릴 법한 곳이었다.
출발할 때만 해도 부슬부슬 내리던 비가 목적지에
도착했을 때는 폭우가 되어 있었다. 차는 덜컹거리
며 진흙 위에 멈춰 섰다. 브레이크를 밟으니 타이어
와 범퍼가 차례로 출렁였다. 우리는 박정배를 짊어

지고 썩어 가는 낙엽을 걷어 내며 걸었다. 오랜 세월 묵은 구린내가 덤벼들었다. 사물의 윤곽선이 희미해졌다. 달빛을 가린 우듬지가 흔들리는 것인지도 몰랐다. 진흙이 신발 바닥에 뭉쳐 덩어리가 되었다가 한 번에 혹 떨어져 나갔다. 발걸음은 조금씩 무거워지다가 순식간에 가벼워지기를 반복했다.

나무와 나무 사이 굴곡이 진 곳에 박정배를 내려놓았다. 사위에서 스멀스멀 어둠이 기어 나오는 곳들 중에도 가장 깊고 가장 어두운 곳이었다. 방수포에 싸인 박정배는 그새 조금 썩어 있었고, 그만큼 부풀어 있었다.

"묻을까."

내가 물었다. 현기는 귀찮다는 표정으로 대답했다.

"하지만 비가 오는걸."
"그래도. 이대로 두면 멀리서도 들킬 것 같잖아."
"그러자 그럼. 살짝만 덮어 놔도 돼. 비가 오고 있으니 잘됐어. 우리 흔적은 지워질 거야."

나는 땅을 팠다. 현기가 옆에서 우산을 들어 주었지만 소용없었다. 비는 바람을 타고 사방에서 들이쳤다. 빗줄기는 등을 타고 팬티 속으로 흘러들었다. 구덩이를 깊게 파지는 못했다. 비가 너무 많이 내려 땅을 파 봤자 의미가 없었다. 결국 박정배 위에 흙을 쌓고 낙엽을 덕지덕지 뿌려 놓는 게 할 수 있는

당신의 신은 얼마

일의 전부였다. 감각이 찰흙처럼 덩어리져 나를 괴롭혔다. 빗속에서도 파리 떼는 모여들었다. 검은 구름처럼 썩은 고기를 찾아 날아다녔다. 수치심과 미안함이 뒤섞여, 어떻게 해야 할지 알 수 없었다.

차로 돌아온 건 두어 시간이 지난 뒤였다. 나는 지쳐 있었고 현기는 심드렁했다. 밤의 고속도로 위에서 트럭 엔진은 감기 환자처럼 쿨럭거렸다. 와이퍼가 빗물을 털어 내는데도 앞이 제대로 보이지 않았다. 나는 최선을 다해 속도를 높였다. 빨리 집으로 돌아가고 싶었다.

"현기야. 이제 알려 줘. 비밀번호."

소실점을 향해 뻗은 도로에 눈을 고정한 채 말했다. 현기는 급하게 떠나온 현장이 신경 쓰이는지 자주 뒤를 돌아봤다.

"천천히 해. 더 오를지도 몰라. 지금 얼마나 되려나."
"어제 확인했어. 5억이 좀 넘어."
"좋네. 더 오를 거야. 6억은 될걸."

현기는 휴대폰 볼륨을 높였다. 인터넷 방송이 계속되고 있었다.

"이게 의미하는 게 뭐냐. 영세한 플랫폼들 다 날리겠다는 거예요. 수상한 코인들 있죠. 검증 안된 것들. 그런 코인 유통시키는 플랫폼은 장사를 못 하게 만들겠다는 거거든요. 라이선스 받고 하라는 건데, 애초에 그걸 받을 수 있는 업체가 몇 개 안 돼요."

폭우 속에서 표지판이 안개등을 반사하며 환하게 빛났다. 일정한 간격으로 늘어선 안내판을 스쳐 지나는 동안 꿈속으로 걸어 들어가는 듯한 기분이 들었다. 갓길로 차를 몬 뒤 브레이크를 밟았다. 현기가 비밀번호를 불러 주기를 기다리면서 플랫업을 열었다. 접속이 느렸다. 팝업창이 떴지만 내용은 확인하지 않았다. 평소와는 달라 보이는 화면에 내 손은 자꾸 엉뚱한 곳을 터치했다.

뭔가 벌어지는 중이었다. 화면에는 겨울 서릿발처럼 창백하고 파란 화살표가 가득했다. 래더코인은 응당 있어야 할 곳보다 훨씬 낮은 곳에 자리했다. 스크롤을 몇 번이나 내려야 찾을 수 있는 위치였다. 호흡은 느렸고 손끝은 차가웠다. 누군가 커다란 망치와 정으로 내 몸을 땅에 박아 넣는 느낌이었다. 쿵. 쿵. 존재하지 않는 소음이 점점 가까이 다가왔다.

"현기야."

팔에 소름이 돋았다. 내 안의 다른 뭔가가 대신해서 현기를 부른 것 같았다. 부정하고 싶던 이야기가 실은 진실이었다고 선언한 셈이었다. 우리는 이제 망했다고, 이 모든 죄악이 의미 없는 일이었

당신의 신은 얼마

다고.

비가 트럭 천장을 두드렸다. 비에 젖은 나뭇잎이 노래하는 듯 서로 몸을 비볐다. 젖은 흙 냄새가 끈적끈적하게 몸을 스쳤다.

*

유 후보는 뭐가 가장 힘들었냐고 물었다.

"마지막 단계요. 엑시트하는 게 제일 힘들었어요."
"제일 쉬운 단계 아닌가요?"
"결정만 하면 쉽죠. 결정을 하기가 어려워서 문제지. 지금 빼도 되나, 더 오르지는 않을까. 이런 생각이 들거든요. 최고점에 자금을 빼는 건 불가능한 일이니까, 어느 정도 기대 이익을 포기하긴 했어요. 고민이 많았죠."
"그럴 수도 있겠네요. 매도 타이밍을 어떻게 잡았어요?"
"저희는 타이밍을 잡지 않았어요. 타이밍을 만든 거지. 어쨌건 래더코인의 최대 보유자는 프라임 캐피털 파트너스였고, 우리가 빠져나가는 순간 가격이 떨어질 게 뻔했으니까요. 우리가 던지기 시작하는 시점이 신호가 되는 거예요. 거기에 플랫폼 측에서 준비하던 공지도 있었고요. 사실 그게 컸죠. 대비는 하고 있었어요. 언젠가 한 번은

얻어맞지 않을까 싶었거든요. 금융 당국이 주시하고 있다는 사실을 기자인 박프로가 알려 줬고 플랫업 관계자는 정확한 시점에 대해 귀띔을 해 줬어요."

"그러니까, 지금 정부의 관계자가 관련 정보를 흘렸다는 말이에요?"

건수를 잡았다 싶었는지 정책 본부장이 반색을 했다.

"지금 정부의 관계자라고 해야 할지…. 이전 정권에서도 일하던 사람들이니까요. 다음 정권에서도 일하고 있을 거고."

"뭐 그 판단은 저희가 할게요. 정보를 미리 공유받아서 수익 실현한 분들도 좀 계시죠?"

"그렇겠죠. 인맥이 정보고 정보는 돈이니까요. 새로 캐낸 금을 사고 파는 금시장과는 달리 암호 화폐 시장에서는 없던 재화가 공급되진 않으니까, 결국은 돈이 돌고 돌아요. 모두가 잃는 경우는 존재하지 않죠. 우리끼리 하는 게임이에요. 보드게임처럼, 판에 돈을 깔아 놓고 누가 그 돈을 다 먹나 시합하는 거예요. 주식으로는 이렇게 못 해요. 정계나 관련 사업을 하는 사람들이 장난질을 하니까요. 그에 비해 코인판은 상대적으로 공정하거든요. 외부 요소가 개입할 일이 적고, 순수하게 게임으로 접근할 수가 있어요. 아무도 보드게임을 플레이하면서 한쪽에 불리한 시합이라고 말하지는 않잖아요? 준비하고 있던 사람들, 발 빠른 사람들이 돈을 벌었어요. 경험이 많은 사람들이 수익을 냈고요. 정보를 더 많이 수집한 사람들이 득을 봤어요. 그런 시장이었어요. 개척 시대의 아메리카 대륙처럼 평등한 곳이었어요. 컨설팅 업계에서 말단 사원으로 일하다가 암호 화폐 플랫폼에서 근무하게 된 서른 살짜리가 수십 억을 벌기도 했어요."

"하지만 누군가는 손해를 봤겠죠? 제로섬이잖아요. 잃는 사람은 어떤 사람들일까요?"

"아. 그건 저야 모르죠."

최닥의 입술에 어색한 미소가 걸렸다.

"그거 알면, 이 일 못 해요."

"형님. 그거 알면, 이 일 못 해요."

양 이사가 유변을 붙들고 말했다. 놀자고 만난 술자리였지만 공기가 묵직했다.

"돈 잃는 사람들은 생각하지 말자고요. 벌어서 나중에 좋은 일 하세요. 코인으로 돈 잃는 사람들, 결국은 주식으로 손해 볼 사람들이에요. 사업해서 손해 볼 사람들이고요. 우리가 미리 예방주사 놔 줬다 생각하면 돼요."

예방주사야 양 이사가 최닥에게 미리 놔 준 상태였다. 한 달 전부터 전량 매도를 할 테니 준비하고 있으라고 했다. 조만간 일이 터진다는 거였다. 미리 정보를 입수했으니 이제는 탈출만 하면 된다고 했다.

"진짜 하는 거지? 전량 매도?"

박프로의 질문에 최닥이 대답했다.

"응. 타이밍이야."

"더 오르지 않을까?"

"여기서 그만두는 편이 좋아. 더 가지고 있으면 위험해. 정부에서 움직임도 좀 보이는 상황이고, 쥐고 있을 만큼 쥐고 있었어."

래더코인에 초기 투자했던 최닥의 친구들은 시세 차익만으로도 즉시 은퇴가 가능한 규모의 투자금을 거래소에 보관하고 있었다. 숫자로만 보던 돈이 마침내 실물이 된다는 생각에 모두의 입이 슬며시 벌어졌다. 하지만 마지막까지 흥분하면 안 된다. 최닥은 경고의 의미를 담아 말했다.

"너무 안심하지는 마. 매도가 끝나면 풋을 던질 거니까."

공매도를 허용하는 해외 거래소를 통해 갖고 있지도 않은 래더코인을 던진다는 뜻이었다. 마지막으로 이익금을 끌어당기는 것이다.

당신의 신은 얼마

"거기에 레버리지까지 넣을 거고."

"그럼 어떻게 돼?"

질문을 한 사람은 유변이었다.

"세 배로 벌어."

"잃으면?"

"그런 생각은 하지 마. 지금은 추수를 해야지."

한 번에 많은 물량을 던지면 안 된다. 그랬다가는 순식간에 가격이 낮아진다. 프라임 캐피털 파트너스가 보유하고 있던 물량을 순차적으로 소진하는 동안 래더코인 가격은 소폭 오르내리기를 반복했다. 섬세한 컨트롤이 필요했다. 시장에 래더코인 물량이 풀리고 있다는 사실을 알리지 않은 채 레이저 부비 트랩을 지나가는 것처럼 유연하게 움직이며 목적지에 도달해야 했다.

담담하게 최후의 순간을 준비하던 최닥이었지만 막상 매도를 끝내고 풋을 던지는 날이 되니 긴장감을 견디기 힘들었다. 프라임 캐피털 파트너스의 좁은 사무실에서, 직원들이 지켜보는 가운데 양 이사는 가진 코인도 없이 물량을 던졌다. 없는 코인을 미리 판매해서 현재가로 수익을 내고 일정 기간이 지난 후에 해당 시점의 가격으로 빌린 코인을 갚는 것이다. 래더코인 가격이 낮아질수록 이득을 보는 반면, 높아질 경우 손실금은 끝도 없이 증가하는 방식이었다.

"정말이지? 내일 저녁에 그 일이 벌어진다는 거지?"

최닥은 모니터만 들여다보던 양 이사에게 물었다.

"네. 확실해요."
"확실한 게 어디 있어."
"확실하다니까요."
"정말로 플랫업에서…"
"형님 믿으세요. 플랫업이 시작이에요. 그 후로
는 연쇄적으로…"

최닥은 입을 다물었다. 그날은 많은 것이 썼다.
물이 썼고 치약도 썼다. 숨만 쉬어도 혀가 얼얼해
지더니 나중에는 통증만 느껴졌다. 얼른 하루가 지
나갔으면 했다. 하루빨리 오랜 싸움이 종식되었으
면 했다.

13. %, =, w, ?

소를 잘못 먹으면 머리에 구멍이 뚫린다고, 남들
다 먹는 소를 우리나라만 수입하면 안 된다고, 꼭
세뇌당한 듯이 같은 말을 반복하는 사람들이 촛불
을 들고 광화문에 모여든 모습을 봤을 때 나는 공
포를 느꼈다. 거대한 공간에 운집한 인파, 촉수처
럼 뻗은 팔들이 느릿느릿 흔들어 대는 노랗고 붉

은 불빛. 그들이 파도처럼 밀려와 내가 믿는 것들을 쓸어 버릴 것 같았다. 폭우가 내리는 고속도로 갓길에서 플랫업을 열었을 때의 내 기분이 꼭 그랬다. 뭔가 휩쓸려 나가는 느낌. 안전지대가 사라지고 벌판에 내몰린 기분.

래더코인에 태그가 달렸다. 시한폭탄 버튼을 연상시키는 작고 빨간 아이콘이었다. 공지 사항란 최상단에 고정된 내용을 확인한 다음에야 아이콘의 의미를 알 수 있었다.

...

안녕하세요. 신뢰의 디지털 자산 거래소 플랫업입니다.

래더코인 외 26종 디지털 자산이 유의 종목으로 지정되었습니다.

자세한 유의 종목 지정 사유는 아래와 같습니다. 플랫업에서는 하기 사유를 종합적으로 검토해 투자자 보호가 필요한 것으로 판단하였습니다.

1. 래더코인
- 사업 역량 부족
- 정보 공개 수준 및 커뮤니케이션 부족
- 기술 역량 미달
- 글로벌 유통성 부족

...

    빨간 아이콘은 해당 코인들이 상장폐지될 가능성이 있으니 유의하라는 경고였다. 플랫업에서 실시한 리스크 점검 결과 총 27개 코인이 유의 대상 목록에 올랐다. 거래소는 래더코인을 거래 유의 종목으로 지정한 이유를, 내 자산이 녹아 버리게 된 이유를 설명하지 않았다. 그들에게는 그럴 의무가 없었다.

    상한선이 없이 솟구치던 그날들과는 반대로 하한선이 없는 대폭락이 시작됐다. 푸른 비가 내리는 화면을 한없이 바라보았다. 화면은 먼 행성처럼 낯선 질감으로 날 괴롭혔다. 단가가 줄어들 때마다, 그래프가 곤두박질칠 때마다, 나는 깊은 지하로 추락했다. 화면에 쏟아지는 푸른 비가 나의 몰락을 축하하는 것 같았다.

    우린 숫자였다. 질척하게 젖은 속옷, 소매로 흘러드는 빗물, 시체를 파묻느라 더러워진 손과 더운 입김, 그리고 그 앞에 놓인 절망의 메시지 앞에서 몰락하는 숫자이며 침몰하는 숫자였다. 희박한 성공의 냄새를 맡기 위해 콧구멍을 벌렁거렸던 숫자였다.

    그날 이후 나는 감옥에 산다. 자동차 경적이 울릴 때마다, 박정배를 닮은 얼굴이 옆을 지날 때마

당신의 신은 얼마

다 거리는 내 옆에 창살을 꽂는다. 팽팽하게 곤두
선 대기의 긴장감이 목을 조른다. 나는 거북이처럼
어깨를 움츠리고 밀도가 높은 지역을 빠져나간다.
박정배는 묻는다. 날 죽이고 얻은 세상은 평화롭냐
고. 내 목숨을 갖다 바치고 부와 재화를, 세상이 던
져 준 사다리를, 너는 낚아챘느냐고. 그러지 못했
다면 너는 어째서 사람의 생명을 빼앗은 거냐고.
결국 넌 아둔한 살인자에 불과하지 않느냐고. 박
정배가 외친다. 살인자라는 말도 아까워. 악마라는
칭호는 네게 어울리지 않아. 맞는 말 같다. 그런 표
현에는 어딘지 거창하고 권위적인 면이 있으니까.
기역부터 히읗까지 사전을 뒤지며 나는 나를 밑바
닥으로 내려보낼, 자책하기에 적당한 단어를 찾는
다. 도시의 생채기. 실수로 만들어진 균열. 불필요
한 구성 요소. 흉터, 오염 물질, 산성 성분, 미세 먼
지, 종기, 종양. 여동생의 돈을 훔치고 직장 동료의
사진을 훔쳐보는 인간. 치킨 몇 조각을 빼돌리는
걸 훌륭한 기술이라 생각하고 차마 입에 담기 힘든
생각들을 게시판에 공유하며 낄낄거리는, 말종. 사
람을 죽인 쓰레기. 나는 개. 나는 돼지. 나는 똥이고
벌레.

언론은 코인이 폭락한 이유를 분석하느라 분주
했다. 내가 보기엔 결국 규제가 문제였다. 나이 든
세대의 판단이었고 기득권들의 결정이었다. 그들

은 우리가 부상하는 세상을 원하지 않았다. 계층의 사다리가 뒤집히는 유연한 세상을 바라는 게 아니었다. 그들이 그토록 외치던 혁명은 우리에게 허용되지 않았다.

그러니까 다 죽여 버려. 갈아 엎어. 칼을 쥐어. 약을 먹이고, 숨통을 끊어. 그래야 네가 살아. 그래야 고생한 너희들이 살아.

목소리가 끝없이 속삭인다. 머릿속을 떠나지 않는 이 소리에 나는 경건한 마음으로 귀를 기울인다. 내 과오에 축복 같은 정당성이 뿌려지기를, 마음에 평화가 찾아오기를 기다린다.

현기는 차분히 달력의 날짜를 셌다. 폭우 속에 박정배를 묻어 놓고 현장을 떠난 지 한 달이 되던 날이었다.

"만약 경찰이 단서를 잡았다면 우린 이미 잡혀갔을 거야. 아직 시체가 발견되지 않은 거지. 만약 시체를 찾았더라도 범인을 모르는 거고. 그날 비가 많이 왔잖아. 근처에는 카메라도 없었고."
"확실해?"
"한 달 지났으면 끝난 거라니까."

현기는 즐거워 보였다. 맞장구를 쳐 주고 싶은데 마음이 쉽게 가벼워지지 않았다. 살인 사건의 범인이 체포되는 확률은 97퍼센트를 상회한다. 어떤 해에는 100퍼센트를 넘기기도 한다. 미처 잡지 못했던 범인을 한 번에 잡아들였기 때문이다. 그런데도 결국은 잡히지 않는 범인들이 있다. 결국은 해결되지 않는 사건이 있다. 그 낮은 확률에 모든 걸 걸어야 했다.

"현기야."

"응."

"박정배가 뭘 잘못했어?"

진작 했어야 하는 질문을, 나는 너무 늦게 꺼냈다.

"죄책감 느껴?"

"가끔씩 그 아저씨 생각이 나."

"잊어버리라니까."

"얘기해 줘. 무슨 일이 있었는지."

선선한 바람이 먼지를 날려 보냈다. 부연 대기 속에서 현기는 뜸을 들이다가 별수 없다는 듯 이야기를 시작했다.

"교도소 수감자들을 도와주는 수발 업체가 있어. 말하자면 브로커 같은 건데. 일종의 심부름센터야. 가족들이 접견 대행을 요청하면 몰래 수용자에게 필요한 물건을 전달해 줘. 펜팔도 할 수 있고 성인 잡지도 반입시켜 줘. 담배 반입도 가능하고. 출소만 빼고 다 해 준다는 말이 있을 정도야."

현대식 옥바라지인 셈이었다. 수요가 있는 곳에 적절한 사업체가 생겼구나 싶었다.

"차를 처분해야 해서 알게 됐어. 너 예전에 봤던 스포츠카 기억나? 박정배가 좋은 업체가 있다고 소개해 줬어. 일을 맡기는 방법을 모르겠다고 했더니 대신 처리해 주더라. 수수료만 조금 받고. 손에 쥔 돈이 꽤 됐어. 일 잘하더라고. 전과 수두룩한 인간들이 고객이라면 아무래도 좀 친절하고 확실하게 일처리를 하지 않겠어. 신뢰가 갔어. 다른 일도 맡겨 보고 싶더라고. 현금은 확보했는데 그냥 두기가 아깝잖아. 수발 업체가 주식 투자나 스포츠토토 베팅도 도와준다는 얘기를 들었지. 박정배한테 그것도 부탁했어. 처음엔 좀 잃었는데, 공부를 하다 보니까 재미있었어. 내가 소질이 있어. 찍은 것들이 하나같이 잘됐단 말이야. 신기가 들린 것처럼. 나중에는 거실에 있던 사람들이 나하고 같이 투자 좀 하자고 할 정도였지."

현기의 말을 잠자코 들었다. 방해하고 싶지 않았다. 악의 기원을 빠짐없이 확인하고 싶었다. 나를 구원할 수 있는 명분인지 알아야 했다.

"그런데 야. 이게 말이 되냐. 나 한 푼도 못 벌었어. 박정배가 다 빼돌린 거야. 어디에 썼는지도 말을 안 해. 투자를 한 건지, 빚을 갚은 건지, 아니면 출소한 다음에 쓰려고 했는지. 일은 저질렀

당신의 신은 얼마

는데 덜컥 걱정이 됐겠지. 액수가 꽤 컸으니까. 나 믿고 투자한 사람들까지 있었거든. 출소하고 박정배를 따로 만났어. 내 얼굴을 보고는 기겁을 하더라. 별말 하지도 않았는데 원금을 다 갚았어. 그러면 끝날 줄 알았나 보지. 그런데 내가 잃은 돈은 그 정도가 아니잖아. 원금이 다가 아닌 거잖아. 제대로 투자했으면 얼마나 벌었을까. 난 내 통장에 그 돈이 있는 줄 알았다고. 출소하면, 새 출발 할 수 있는 그 돈이 얌전히 기다리고 있을 거라 생각했단 말이야. 박정배한테 내가 벌 수 있었던 돈을 모조리 통장에 박아 놓으라고 얘기했어. 그러지 않으면 죽여 버리겠다고도 했지. 박정배는 결국 그러지 않았어. 오히려 나를 비난하는 거야. 잘못을 저지른 인간이, 후회하고 용서를 빌지는 못할망정 나한테 대들면 안 되는 거잖아. 그러면 안 되잖아."

"그래서 죽인 거야?"

"다른 이유가 필요해? 우습게 보이면 안 돼. 얕보이기 시작하면 끝나는 거야."

죽음은 도처에 널려 있었다. 눈이 마주쳐서, 말투가 기분 나빠서, 어깨가 부딪혀서 죽는 사람도 있으니까. 누군가가 우습게 보이면 안 되기 때문에 죽는 사람도 있는 것이다. 현기는 내 등을 쓸었다. 손바닥에 새겨진 굳은살이 티셔츠를 긁었다. 내가 물었다.

"정말로 그 사람이 그렇게 나쁜 사람이야? 네가 죽이고 싶을 만큼 못된 짓을 한 게 맞아?"

"뭐래."

"맞아? 박정배는 그렇게 나쁜 짓을 한 거야?"

현기는 힘차게 내 등을 때리며 말했다.

"그래. 맞아. 박정배는 죽을 짓을 한 거야."

그 말을 믿어야 했다. 현기의 결백을 응원하고 박정배의 부정함을 비판하지 않으면 내 인생이 부정당할 것 같았다.

현기가 비밀번호를 알려 주겠다고 했다. 남은 돈은 내 몫이라고 했다. 나는 휴대폰에 손을 올렸다.

"비밀이야."

나는 콧김을 뿜으며 현기를 쳐다봤다. 현기가 장난기 어린 얼굴로 말을 이었다.

"비밀이 비밀번호라고. 비읍, 이, 미음… 첫 글자는 대문자."

영어로는 'Qlalf'. 내가 설정한 비밀번호는 '00000)'이었다. 0이 다섯 개에 마지막 괄호만 특수문자였다. 지금보다 더 젊은 시절의 우리는 위기의식이나 진지함이 조금도 없는 삶을 살았던 모양이다. 현기가 물었다.

"궁금한 게 있는데. 왜 너 혼자서 돈 안 찾았냐."

"비밀번호를 모르는데 어떻게 찾아."

"플랫업 계정 주인이 너잖아. 비밀번호 분실 신고를 하고 신분증을 갖다 냈으면 결국 코인을 찾을 수 있었을 거야."

나는 놀란 눈으로 현기를 쳐다봤다. 약속을 했는데 그러면 안 되는 거잖아. 세상은 공정하고 정의로워야 하잖아. 그런 생각을 하면서.

"아…. 그런 방법도 있었네."

"똑똑한 척하더니 되게 웃긴다. 나한테 코인 이런 거 절대 안 될 거라고도 했었지? 안 오를 거라고 했잖아. 네가 다 계산했다면서."

"틀린 말은 아니잖아. 결국은 이렇게 떨어졌는걸."

"세상에 오르기만 하는 게 어딨냐. 언젠가는 떨어지지. 올랐을 때도 있었잖아. 벌 사람들은 그때 다 벌었잖아? 진짜 똑똑한 사람들은 챙길 거 챙기고 빠져나간 거 아니야?"

경찰차가 지나갔다. 우리는 누가 먼저랄 것도 없이 눈을 깔았다. 경찰차가 시야에서 완전히 사라질 때까지 오랜 시간 바닥을 쳐다봤다.

"그러게. 나 왜 그랬지."

경찰차가 지나간 자리를 보며 나는 중얼거렸다.

하늘이 파랬다. 이번 겨울에는 눈이 많이 내리면 좋겠다고 생각했다. 눈이 많이, 아주 많이 내려서 세상이 하얗게 변해 버렸으면 좋겠다고. 그 하얀 풍경 아래 모두가 평등했으면 좋겠다고.

계절이 바뀐 다음에야 박정배의 집을 찾았다. 한 리서치 업체의 채용 공고를 확인하고 이력서를 제출한 다음 날 문득 그래야겠다는 생각이 들었다. 빈집의 문을 열자 눅진한 공기가 새어 나왔다.

내가 살해한 사람의 빈 아파트에서 한 일이 뭔가 하면, 청소였다.

먼저 싱크대를 닦았다. 고인의 마지막이 서운하지 않도록 욕실 구석구석 락스를 뿌리고 창문을 열어 묵은 공기를 날려 보냈다. 청소기 먼지통을 비웠다. 바닥을 밀었다. 때가 밀려 나왔다. 가전 기기의 전원 플러그를 뽑고 창틀과 욕실 유리를 닦았다. 청소를 끝낸 뒤에는 상을 차렸다. 찬장에 있는 접시를 모두 꺼내 식탁에 올리고 준비해 간 명태와 대추를 올렸다. 깐 밤은 구하기가 힘들어 편의점에서 파는 맛밤을 샀다. 소주도 올렸다. 제사 지내는 법을 몰라 대충 향을 피우고 잔에 소주를 따른 뒤 절을 했다.

미안합니다. 정말 미안합니다.

나는 무릎을 꿇고 엎드려 한참을 울었다. 더럽고 악한 것들이 빠져나올 때까지, 그래서 내가 가벼워질 때까지. 고개를 들고 나니 침이며 눈물 같은 체액이 바닥에 흥건해 걸레로 마저 닦았다. 그런 뒤에 도망치듯 집을 빠져나왔다. 뒤도 돌아보지 않고 계단을 뛰어내렸다. 세상의 외곽으로 떨어져 나온 다음에는 어디로 가야 할지 알 수 없었다. 현기가 있는 세계에 발을 들여놓고 싶지는 않았다. 아버지의 영역도 마음에 들지 않았다. 예리의 영역도 그랬다. 한 사장도 기대고 싶은 인물은 아니었다. 나는 어느 곳에도 속하지 않았지만 어딘가에는 속하고 싶었는데, 속할 수 있는 곳은 존재하지 않는 것 같았다.

뛰다가, 걷다가, 멈췄다. 그리고 다시 걸었다. 구름이 잔뜩 낀 하늘은 잠잠했다. 몇 개의 지하철역을 지났다. 다리를 건넜고 낮이 밤으로 변하는 모습을 지켜봤다. 광화문을 지나 대학로까지, 다시 동대문으로 걸음을 옮겼다. 반대편에서 오는 인파를 피해 몸을 돌렸다. 그렇게 걷고 있으니 혜영이 생각났다. 대패질을 한 것처럼 밋밋한, 그래서 어쩐지 친근하게 느껴지던 얼굴이, 적당한 키에 뽀얀 피부가 떠올랐다. 이제는 너무 멀어져 버린 우리의 관계가 불쑥 서러웠다.

혜영의 인스타그램을 열었다. 그새 남자친구가

생긴 모양이었다. 혜영의 어깨에 팔을 두른 남자는 제법 잘생긴 청년이었다. 건장하고 바르고 무엇보다 깔끔해 보였다. 나는 크게 확대한 화면 속 얼굴을 조목조목 뜯어보았다. 달콤한 독으로 혜영을 홀린 입술. 혜영의 곳곳을 핥았을 입술. 발로 차 버리고 싶은 입술. 편의점 의자를 걷어찼다.

혜영이 너도 결국은 그런 사람이었구나. 함께 힘든 세상을 살아가는 동료인 줄 알았는데 결국은 너도 쉬운 방법을 택하는 청춘이었구나. 네 외모를 이용했겠지. 타고난 귀여움을 마음껏 활용했을 테지. 그게 너무도 쉬웠겠지. 혜영이 네가 좋아. 네가 부러워. 아니. 네가 미워. 내 것이 아닌 네가 싫어. 싫은 것들은 어떻게 하지. 다 죽여 버릴까. 그러면 되는 거야? 노인들 죽어 버려. 여자들 죽어 버려. 빨갱이들 죽어 버려. 다 죽어 버려. 나는 깔깔 웃었다.

시간이 흘렀다. 한 주가 가고 한 달이 갔다. 비가 오고 바람이 불고, 때늦은 태풍 뒤에 눈이 내렸다. 어쩔 수 없는 일이었다고 합리화를 하며 날이 바뀌기를 기다렸다. 기억하지 않으려 애썼고 변명에 최선을 다했다. 죄책감은 줄어들었다. 박정배에 대한 기억은 조금씩 옅어졌다. 몇 달이 지났을 때는 그런 일들이 전혀 벌어지지 않았던 것처럼 느껴졌다. 혜영도, 코인도, 박정배도, 현기도, 처음부터 없었던 존재인 것처럼.

당신의 신은 얼마

"스테이트리서치앤컨설팅인데요."

"어디라고요."

"스테이트리서치앤컨설팅 인사 팀인데요."

"SRC요?"

"네. 이정환 님이죠? 서류 합격하셔서 면접 일정 잡으려고 연락 드렸는데요. 메일 확인을 안 하신 것 같아서요."

잠이 싹 달아났다.

"1차 면접 일정은 언제가 괜찮으세요? 다음 주 월요일 아니면 수요일 중에 골라 주시면 되는데."

"다음 주 수요일이 좋겠는데…."

"네, 그럼 다음 주 수요일 오후 3시에 뵐게요. 메일 확인하시고, 문자도 하나 넣어 드릴게요."

내가 직장인이 되어도 괜찮을까. 평범하게 일을 해도 괜찮을까. 여행. 연애. 결혼. 아이. 그런 것들이 내 삶에 들어와도 괜찮을까. 내가 그럴 수 있을까. 내가 그래도 될까. 잽처럼 질문이 날아들었지만 몇 년간 이어진 경력 공백 탓에 단출하고 비루해서 어딘지 모르게 숙연한 느낌까지 주는 한 장짜리 이력서를 보고도 연락을 준 회사가 고마웠다. 이력서를 집어넣은 100여 개 가까운 회사 중 유일하게 연락을 준 곳이었다.

면접 예상 질문지를 만들고 기존 면접자들이 후기를 올려놓은 사이트의 열람권을 구매했다. 컴퓨터 팬이 엄청난 소음을 내며 돌아갔다. 전원을 끄기 전, 나는 플랫업에 접속해 코인을 처분했다. 그 돈으로 정장과 구두를 샀다. 그런 뒤에도 돈이 조금 남아 이튿날에는 예리와 내 방 창문에 방범창을 달았다. 삭을 대로 삭아 페인트 조각과 쇳가루가 후드득 떨어져 나오는 방범창을 떼어 내고 튼튼한 놈을 콘크리트 벽에 박았다. 예리는 이제야 제 방이 좀 안전해 보인다며 좋아했다. 겨우 몇십만 원만 있으면 행복해질 수 있는 우리였다. 그 사실을 너무 늦게 깨달았다.

면접 날 오전에는 보이지 않는 곳까지 구석구석 씻고 면도를 했다. 미용실을 다녀온 뒤 머리에 왁스를 바르고 스프레이로 고정까지 했다. 가는 길에 옷매무새가 흐트러질까 택시를 탔다. 면접 분위기는 나쁘지 않았다. 전문적이고 상식적인 질문들이 주어졌다. 진땀을 빼게 만드는 질문도 있었지만 선을 넘지는 않았다. 나는 전반적으로 차분했고, 동시에 열정적이었다. 면접에서 탈락할 거라는 생각은 눈곱만큼도 들지 않았다.

2차 면접까지 끝내고 합격 안내를 받은 건 일주일 후였다. 인사 팀에서 축하와 감사의 마음을 담아 합격 선물을 배송할 예정이니 정확한 주소를 알려 달라고 했다. 대표가 직접 서명한 편지와 함께 꽃과 와인이 발송된다는 이야기를 들은 기억이 났다. 그동안 고생했다고, 세상이 팔을 벌려 나를 안아 주는 느낌이었다.

더 큰 축하를 받고 싶었다. 내게는 그런 게 필요했다. 가진 돈을 털어 생닭을 샀다. 내가 알고 있는 가장 맛있는 방법으로 조리할 생각이었다. 해물 감치미와 카레 가루를, 빵가루와 튀김가루와 우유를, 물엿 케첩 마늘 고춧가루 설탕을, 생강 계피 겨자를, 간장과 고추장과 후추와 맛소금과 꽃소금을 장바구니에 담았다. 닭을 해체했다. 날개와 가슴과 다리와 몸통을 조각내 염지제에 재우고 밀폐 용기에 담아 냉장고에서 반나절을 숙성시켰다.

깨끗한 기름을 써야 한다. 빙초산에 절인 무 대신 맥주를 이용해 입안을 산뜻하게 만들어야 한다. 맥주는 당연히 생맥주다. 근처 가게에서 따로 주문한 뒤 냉동실에 잠시 놔두었다. 염지한 닭을 체에 걸러 물기를 제거했다. 튀김옷을 바르고 기름을 준비했다. 기름 온도는 175도가 좋다. 7분 30초를 튀겼다.

조리는 예리의 퇴근 시간에 맞춰 끝이 났다. 잔뜩 기대 중인 아버지와 예리 앞에서 치킨은 황금빛으로 반짝였다. 가슴살을 베어 문 예리가 절단면을 보며 물었다.

"이거 덜 익은 거 아냐?"

"괜찮아. 핑킹 현상이야."

"그게 뭔데?"

"색소 단백질이 뭉치거나 산화되는 거. 정상이야."

"맛있다. 주방에서 오래 일하면서 바보 된 줄 알았더니. 배운 건 있네."

"미안."

"뭐가."

"그때 때려서. 미안."

"괜찮아."

아버지도 질문을 했다.

"연봉이 얼마냐."

"초봉 3000요."

아버지가 입을 씰룩거렸다. 기분이 좋은 것이다. 그런 아버지를 보는 게 좋아서 나는 말을 보탰다.

"반기마다 인센티브도 나올 거예요. 직장이 있으니까 저리로 대출도 받을 수 있고요. 그걸로 이자를 갚을 수 있어요. 예리도 벌고 나도 버니까, 우리는 더 버틸 수 있게 됐어요."

"고생했다. 너희 둘 다."

내 인생 가장 즐거운 만찬이었다. 우리는 무척 많이 먹고 마셨다. 발골된 치킨 뼈를 보고 있으니 속절없이 썩어 가던 박정배의 회색 살점이 떠올랐다.

당신의 신은 얼마

날파리가 꼬이지 않게 비닐봉지 입구를 꽉 묶었다.

다음 날 오전에는 회사에서 보내는 택배 배송 예정 안내 문자가 왔고 꽃 배달 대행 기사는 방문 시간을 조율해 달라며 아침부터 잠을 깨웠다. 너그러운 마음으로 아무 때나 오시면 된다고 말해 주었다. 숙취에 시달리는 토요일이었다. 침대에 좀 더 누워 있고 싶었다. 살짝 열린 창문으로 쌀쌀한 바람이 불었다. 재채기를 하고 이불로 목을 덮었다. 체온으로 데운 솜이 다시 온기를 돌려줄 때까지 느슨한 하루를 즐겼다.

꽃은 점심 즈음 도착했다. 벨을 눌러도 대답이 없으니 배달원은 문을 두드렸다. 예리가 방문을 열고 나왔다. 매번 스피커폰으로 얘기하던 예리가 대문까지 마중을 나갔다. 그렇게까지 할 일은 아닌데, 오빠의 취업 선물에 예리가 더 신이 났나 싶었다. 하늘이 쾌청했다. 볕과 바람이 기분 좋게 쏟아졌다.

"이정환 씨 댁 맞죠?"

배달원의 목소리가 낮았다. 또렷하지 않게 발음을 뭉개는 것이 어디선가 들은 적이 있는 말투였다.

"이정환 씨 있어요?"
"오빠 방에 있는데…."

적어도 두 사람이 약간의 조바심을 내며 마당을

가로질렀다. 현관문을 열고 신발을 벗었다. 왜요. 왜 이러시는데요. 아저씨들 왜 그러세요. 아니 글쎄 그게 아니고요. 잠깐만 좀 있어 봐요. 대화가 메아리쳤다.

상상이 됐다. 검은 바지에 싸구려 정장 벨트, 통기성 좋은 등산용 티셔츠 차림의 남자 둘. 놀이터에서 현기를 일으켜 세우던 위압적인 목소리.

"이정환 씨. 이정환 씨."

형사들은 거실을 지나 방 앞에 당도했다. 나는 단추처럼 튀어나와 있는 손잡이 잠금장치를 엄지로 꾹 눌렀다. 그리고 거대한 해일을 피해 달아나듯 뒤로 물러섰다. 그래야 할 것 같았다. 형사가 문을 두드리며 내 이름을 불렀다. 손잡이가 좌우로 시끄럽게 돌았다.

"이정환 씨. 문 좀 열어요."

문에 얼굴을 바짝 붙였다. 상대가 같은 자세로 문에 뺨을 갖다 대고 있는 기척이 느껴졌다. 지근거리에서 숨소리가 들렸다. 형사와 나 사이에서 얇은 문짝 하나가 힘겹게 버티고 있었다. 언제라도 발로 차서 쪼개 버릴 수 있을 나무 판이었다. 그걸 아는 형사의 목소리에는 여유가 있었다.

"송현기 씨하고도 얘기 다 했어요."

당신의 신은 얼마

나는 꿈을 이룰 수도 있었을까. 내 노력이 결실을 맺었다면. 그럴 수도 있었을까. 어쩌면 내 모든 수고가 꿈을 완벽하게 만들기 위한 노력에 지나지 않았던 걸까. 완벽해져 봐야 꿈인 것을, 더 낫게 포장하려 애쓴 건 아니었을까.

새된 목소리들이 달려들었다. 너한테는 잘못이 없어. 어린 순교자일 뿐이야. 가련한 피해자일 뿐이야. 달아나 정환아. 도망쳐도 돼. 언젠가는 보상을 받을 거야. 달콤하고 은밀한 유혹이었다. 책상 아래 현기가 선물한 신발이 놓여 있었다. 잠옷을 벗고 편한 옷으로 갈아입었다. 휴대폰과 지갑을 챙긴 뒤 신을 신었다. 가볍고 깨끗한 스니커즈가 날 어디로든 데려다줄 것 같았다. 신발 끈을 조였다. 아무리 거친 길을 달려도, 방향을 급격하게 꺾어도 벗겨지지 않도록 꽉 묶었다. 망치를 때리듯 뒤꿈치로 바닥을 쾅쾅 밟았다. 화가 났다. 분통이 터져 참을 수가 없었다.

왜 나한테만 그러는데. 왜. 자기들끼리는 서로 챙겨 주면서 왜 나한테만. 자식들한테 비싼 과외 선생을 붙여서 성적 올리고, 있지도 않은 경력 만들고 논문 저자로 참여시켜서 좋은 대학 보내고, 없는 병을 만들어 군대에서 빼내고, 살을 빼 군대에서 빼내고, 살을 찌워 군대에서 빼내고, 그게 안 되면 산업 기능 요원으로 보내고, 그것도 안 되면 편한 보직 맡겨서 수시로 휴가 보내 주고, 졸업하면 좋은 직장에 취직도 시켜 주고, 개발 호재 있는 부동산 미리 알아내서 몇십억씩 쉽게 벌고, 죄가 드러나도 갖은 핑계 다 대서 감형에 무혐의 만들어 버리면서, 왜 나한테만 그러는데. 펑펑 놀다 비정규직 된 인간들은 정부가 나서서 정규직 만들어 주고, 최저임금도 올려 주고 연봉도 챙겨 주고, 정년까지 보장해 주면서 왜 우리만 괴롭히는 건데. 세상이 으레 그러려니 하며 고개를 돌려 버리는 사람들이 짜증 나서, 이렇게는 못 살겠다며 사다리 한 번 올라가 보겠다고 아득바득 노력하는 사람들 희망은 왜 이런 식으로 꺾어 버리는 건데. 다들 평등을 외치지만 사실은 누구나 남들 위에 군림하기를 원하잖아. 그게 솔직한 마음이잖아. 내 밑에 나를 보좌해 줄 계층 하나 정도는 있기를 원해서, 그래서 누군가 권력을 조금이라도 뺏어 갈 것 같으면 한마음 한뜻으로 목소리를 높이는 거잖아. 나도 다른 사람들처럼 욕망에 충실했을 뿐인데, 왜 나한테만 그러는 건데.

나는 환한 햇빛이 내리쬐는 방의 커튼을 열었다. 가을과 겨울 사이에 걸친 청명한 바깥 세상이 펼쳐졌다. 그 열린 공간을 향해 손을 뻗었다. 뭔가를 쥐기 위해서가 아니라 가리기 위해서였다. 죄 많은 몸을, 내 과거를, 사상과 영혼을.

당신의 신은 얼마

커튼 뒤로 펼쳐진 건 튼튼한 방범창이었다. 창살을 닮은 그림자가 머리 위로 드리워졌다. 방문이 사납게 덜거덕거렸다. 달콤했던 목소리는 끔찍한 웃음으로 바뀌어 있었다. 누르고 막아도 튀어나오는 기괴한 신음 같은 비웃음.

*

"수익 실현하고, 제일 먼저 하신 일이 뭐였어요?"

미팅이 끝날 무렵에 유 후보가 물었다. 암호 화폐 시장 이야기보다 개인사 이야기 쪽이 더 불편했다.

"주변 사람들한테 이것저것 베풀었죠. 도움 준 친구들한테도 좀 쥐여 주고. 참. 아내 선물도 샀어요."

"암호 화폐로 낸 수익으로는 첫 선물이었던 거죠? 자동차라도 사다 주셨어요?"

"실현 이익으로는 건물도 살 수 있었어요. 그런데 그날 어쩐지 반지를 사 주고 싶더라고요. 학생들이 할 법한 커플링요. 퇴근길에 사서 가져갔어요."

"왜요?"

"그냥요. 그러고 싶었어요. 뭐랄까. 젊은 사람들 흉내도 내 보고 싶고. 무엇보다, 앞으로 다시는 그런 경험을 못 할 것 같았거든요. 왜 있잖아요. 사소한 선물에 여자들이 감동받고 그러는 거. 10

만 원짜리 반지 받고 좋아하는 아내 얼굴 보는 게 마지막이겠다 싶었어요. 그래서 그랬어요."

"아내분이 반지는 잘 끼고 다니세요?"

"몰라요 뭐. 버렸는지 어쨌는지."

최닥은 말을 잠시 멈췄다. 짧은 숨을 뱉고 다시 입을 열었다.

"얼마 전에 이혼했거든요."

"왜요?"

"그래야 할 것 같았어요. 제가 다른 사람이 돼 버린 것 같아요. 불과 몇 년… 몇 달 사이에요."

최닥은 덤덤히 목을 축였다.

"후보님. 우리는 왜 더 높은 자리에 오르고 싶어 하는 걸까요."

"우리, 라고요."

유 후보가 비린 웃음기를 띄웠다. 질문을 잘못한 것 같아 송구했다. 최닥은 물컵을 내려놓았다. 양 손을 앞으로 가지런히 모으고 대답을 기다렸다.

"높은 자리가 다 좋은 자리겠어요. 힘든 자리지. 욕먹고. 싸우고. 조율하고."

"그렇게 하면서까지 뭘 바꾸고 싶으세요? 저 같은 사람을 만나 가면서…."

"저하고 토론회라도 하시는 거예요?"

"최 대표님, 질문 있으면 이따 저한테 따로 전달

당신의 신은 얼마

해 주세요."

정책 본부장이 끼어들었다. 최닥은 입을 다물었다. 유 후보는 시간이 얼마나 남았나 확인한 뒤 물었다.

"그러고 보니 최 대표님 계획을 못 들었네. 앞으로는 뭘 할 생각이에요?"
"일단 래더코인 건을 마무리해야죠. 회수 작업에 들어갈 거예요. 리브랜딩을 한대요. 이름을 바꾸는 거예요. 그렇게만 해도 잘하면 30퍼센트는 올라요. 거기에 MM이 다시 작업을 시작할 거고요."
"제일 떨어졌을 때랑 비교하면 어때요? 어디까지 갈까요?"
"지금 기준으로 두 배는 올릴 자신 있어요."
"정말요? 그럼 떨어졌을 때 판 사람들은 엄청 손해를 본 거네요. 가만히 놔두기만 했어도…."
"그건 그 사람들 복이니까요."
"열심히 하시네요, 정말."

정책 본부장이 시간이 다 됐다고 했다. 유 후보가 반쯤 일어나는 자세를 취하며 물었다.

"이만 자리 정리할까 하는데. 혹시 궁금한 거 있어요?"
"코인 시장 규제는 어떻게 될까요. 만약… 후보님께서 당선이 되신다면요."
"국민들한테 도움이 되는 쪽으로 해야죠. 고민이

되네요. 말씀을 듣고 보니 시장에 문제가 많아서 요. 정리가 필요하지 않을까요."

"그 정리, 제가 도와 드릴 수 있을 것 같은데요."

"도와주신다고요? 뭘 도와줘요?"

빈정거리는 말투였다. 긴장한 최닥을 내려다보 며 유 후보가 말을 이었다.

"대표님. 뭔가 착각하시는 것 같은데, 저희가 정 책 조언을 받자고 모신 게 아니에요. 토론에 쓸 만한 정보나 좀 얻자는 거였지."

실내 기온이 훅 떨어지는 것 같았다. 하지만 냉 랭한 반응은 이미 각오하고 있었다. 오래 고민한 말이었다. 의사직을 버리고, 아내와 헤어지고, 새 삶이 시작됐다고 느낀 순간에도 남아 있던 허전함 을 채우기 위해서 꼭 해야겠다고 생각했던 말이었 다. 그러기 위해 납작 엎드릴 준비는 되어 있었다.

"언짢으셨다면 죄송합니다만, 옆에서 뭐라도 도 움이 될 수 있을까 싶어서요."

"이것 참. 사람이 그렇게 쉽게 친해지는 거 아니 라니까요."

유 후보는 한 번도 실패했던 적이 없는 사람만이 가질 수 있는 여유를 보였다. 자신이 몰락할 거라 는 생각은 해 본 적이 없는 사람의 당당함이었다. 기세에 밀려서는 안 된다고, 최닥은 생각했다. 물

당신의 신은 얼마

러서면 얻지 못한다. 과감하게 속마음을 까 보이고 선택을 기다리는 것. 그것이 을의 자세였다.

"시간을 두고 만나다 보면 좀 가까워지지 않을 까요."

최닥은 미리 챙겨 온 상자를 테이블 위로 밀었다. 위블로사(社)의 시계였다. 지금 뭐 하시는 거냐고, 정책 본부장이 나서서 한마디 하려는 것을 유 후보가 제지했다. 유 후보와 최닥의 시선이 한참을 얽혔다. 최닥 너머에 있는 무언가를 노려보듯 냉랭하던 유 후보가 잠시 후에 입을 열었다.

"경제사회위원회 산하에도 조직원들이 있어요. 위원회장한테 얘기해 놓을 테니 그쪽이랑 한번 얘기해 보세요."

시계는 누구의 손에도 닿지 않은 채 둘 사이에 덩그러니 놓여 있었다. 팽팽해진 긴장감 아래로 최닥은 머리를 조아렸다. 언제나 누구 발 아래 엎드릴지가 고민이었다. 이제야 대답을 찾은 듯했다.

"이만, 일어날까요?"

정책 본부장의 말에 최닥의 긴장이 풀렸다. 뭉쳐 있던 뭔가가 몸을 빠져나가는 듯했다. 비서가 나타나 문을 열었다. 곧게 뻗은 복도가 눈에 들어오자 이제야 미팅이 끝났구나 싶었다.

엘리베이터를 향해 앞서 나가려던 최닥은 유 후보와 어깨를 부딪혔다. 조심하세요. 정책 본부장이 낮은 목소리로 호통을 쳤다. 서로가 진심을 내비친 후 권력은 높은 곳에서 낮은 곳으로 자연스레 흐르고 있었다. 뒤통수가 따가웠다. 최닥은 새롭게 시작될 인간관계 속 자신의 순위를 매겨 보았다. 헤아릴 수 없는 수많은 숫자들이 앞에 놓여 있었다. 초라해지고, 아득해졌다. 그 모든 숫자 앞에 서면 어떤 느낌이 들까. 문이 닫히는 엘리베이터를 사이에 두고 정성을 다해 허리를 숙이는 사람은 최닥뿐이었다.

빠른 속도로 내려가는 엘리베이터 안에서 기압이 조금씩 높아졌다. 잠시 이 세상이 아닌 곳을 다녀온 기분이었다. 미팅 장소에 들어가기 전까지는 한없이 비대했던 자아가 조그맣게 찌그러져 있었다. 로비에 도착해 전화기의 비행기 모드를 해제하고 밀린 전화와 문자를 확인했다. 오후에는 친구들과의 모임이 예정돼 있었다.

건물을 나선 지 얼마 되지 않아 더워지기 시작했다. 땀이 닿은 부분마다 셔츠 색이 어두워졌다. 최닥은 등과 겨드랑이에 부채질을 했다. 바람이 닿을 때만 잠시 시원할 뿐 끈적한 열기는 사라지지 않았다. 횡단보도를 건넜다. 파란불이 깜빡이고 있었다. 때를 맞춰 건너지 못할 것을 알면서도 최닥은 도로에 발을 올렸다. 바쁘게 달리던 승합차가 멈춰섰다. 선팅을 짙게 한 경찰 호송차였다. 운전석 뒤로 멍한 얼굴의 청년이 보였다. 수갑을 차고 있는지는 보이지 않았지만 양쪽에 커다란 덩치 둘이 앉아 있어 달아날 길은 없어 보였다.

너도 참 딱하다. 최닥이 중얼거렸다. 그 모습을 보고 있던 청년의 입술이 씰룩거렸다. 짐작건대 욕이었다. 비겁하고 사나운 청춘들이 득실거리는 커뮤니티에서나 들을 법한 상스러운 소리.

청년이 처음 보는 사람에게 멋대로 품어 버린 증오를, 최닥은 너그러운 마음으로 이해하기로 했다. 아마도 너는 온 세상에 욕을 해 대는 인간이겠지. 네 탓은 하지 않고 외부에서 핑계를 찾느라 바쁜 인생이겠지. 그 파편이 운 나쁘게 내게도 튄 거겠지.

참 열심히 산다. 너나 나나.

호송차가 경적을 울렸다. 신호는 빨간불로 바뀌어 있었다. 등 뒤로 달려가는 호송차의 풍압이 최닥을 거칠게 밀어냈다. 경적 소리가 비명처럼 메아리쳤다.

추천의 말

모두가 To the Moon과 떡상을 외칠 때, 누군가는 어둠 속에서 욕심을 키웠다. 폭죽처럼 치솟는 그래프, 환호하던 사람들. 하지만 열광의 순간은 짧고, 누군가의 꿈은 물거품처럼 이내 사라져 버렸다. 실패한 프로젝트, 실패한 투자 사이에서 우리가 열광했던 것은 과연 무엇이었을까.

이 소설은 결과를 이미 알고 있기나 한 듯이 숫자에 가려져 있던 문제점을 치밀하게 고발한다. 미처 몰랐던 우리의 맨얼굴을 거울처럼 비추고 있는 소설 《당신의 신은 얼마》. 나는 이 소설을 무언가에 열광해 본 적 있는 모든 이들에게 권하고 싶다.

유망한 사업이 어떻게 사기로 변하고, 좋아하던 대상이 어떻게 혐오의 대상으로 변하는지. 짧은 환호의 순간을 뒤로하고 이제는 스스로 되돌아볼 시간. 욕망을 만든 이와 그것에 속은 이는 결코 다르지 않다는 것. 우리는 결국 스스로에게 속았다는 것을 인정해야 할 것이다.

아아, 이 소설을 조금 더 일찍 만날 수 있었다면!

김얀 작가

추천의 말

작가의 말

2021년 가을에 쓰기 시작한 이 이야기를 같은 해 겨울에 마무리했습니다. 2022년 봄까지 몇 차례 수정이 이루어졌습니다. 교정 시설 수용률 자료로는 법무부에서 2021년 6월 9일 배포한 보도자료 '교정 시설 내 과밀 수용 개선 방안 마련'을, 음료 판매 순위 자료로는 농림축산식품부 및 한국농수산식품유통공사가 발표한 보고서 '2017 가공식품 세분 시장 현황- 음료류 시장'을 참고했습니다. 작중 등장하는 스팸 문자는 모 업체의 실제 스팸 문자를 참고한 것이며 플랫업의 공지 사항 문구는 디지털 자산 거래 서비스 업비트의 2021년 6월 11일 공지 사항 '[거래] 디지털 자산 유의 종목 지정 안내(25종)' 내용 중 일부를 차용해 작성했습니다. 기타 작중에 등장하는 데이터의 출처는 통계청입니다. 논리와 근거 자료를 수집하기 위해 몇몇 커뮤니티에 접속하기도 했습니다. 수집한 구체적인 내용을 직접 담지는 않았지만 어떤 형태로건 이 이야기에 영향은 미쳤을 겁니다.

오해와 이해의 깊이를 재는 작업이었습니다.

이 이야기의 어떤 부분이 제 의도와 상관없이 누군가를 공격하게 될 수도 있겠지요. 다만 어떤 선한 지대에 우리 모두가 닿기를, 그럴 수 없다는 것을 알면서도 기원했음을 알아주셨으면 합니다. 특정 대상이나 집단을, 차이를 이유로 차별하지 않는 세상이 오기를 바랍니다. 약자의 연대와 투쟁을 응원하고 지지합니다. 우리가 치열하게 다투며 결국 더 나은 방향으로 나아가기를 바랍니다.

　작업의 처음과 끝을 함께해 준 친구가 있습니다. 우리는 종종 의견 충돌로 논쟁을 벌이지만 그럼에도 밥을 같이 먹어 줘서, 고민을 들어 줘서 고맙습니다.

　이야기의 완성도를 높이기 위해 법에 조예가 깊은 거구의 조력자, 재무와 회계에 감동적일 만큼 박식한 실력자, 함께 재즈를 연주하던 암호 화폐 전문가의 도움을 받았습니다. 짧지만 확실한 감사를 전합니다.

　안전가옥과는 두 번째 작업입니다. 테오 님과 뤽 님이 함께해 주셨습니다. 이 이야기의 많은 설정이 두 분의 조언으로 개선되었습니다. 함께했음을 영광으로 생각합니다. 문장을 윤기 있게 만들고 오류를 바로잡는 데 도움을 주신 이혜정 편집자님께도 감사의 말씀을 전합니다.

　집에는 분리 불안이 심한 강아지 한 마리가 있습니다. 구조 당시의 나이를 알지 못하지만 대략 일곱 살이 된 것으로 추정합니다. 하루에 커피 한 잔을 마십니다. 잠이 오지 않을 때는 하프 카페인 커피를 마십니다. 가끔 산책을 합니다. 걸으며 가족 생각을 자주 합니다. 그런 일상이 꾸준히 이어지고 있습니다.

이 글을 읽는 독자분들의 일상도 격정 없이 여전하기를, 모쪼록 바라 봅니다.

2022년 여름
하승민 드림

프로듀서의 말

하승민 작가님과는 2020년에 처음 만나 뵙게 되었습니다. 그해 가을에 진행했던 '메가박스플러스엠×안전가옥 스토리 공모: 뉴 러브'에서 작가님의 작품 〈사람의 얼굴〉이 수상작으로 선정된 뒤였습니다.

그때 저는 작가님께서 가지고 계신 에너지, 앞으로 집필하실 작품에 대한 본인만의 명확한 방향성, 장르 및 여러 제반 상황에 관해 탐구하고자 하는 열정 등을 느낄 수 있었습니다. 그 만남을 계기로 언젠가는 작가님과 단편이 아닌 조금 더 호흡이 긴 이야기를 해 보리라 마음먹었습니다.

그렇게 기회를 엿보다가 일명 '코인'이라고 불리는 암호 화폐가 우리 일상 속에 아주 깊숙하게 들어와 있는 모습을 보게 되었습니다. 이 실체 없는 돈에 대해 알고 싶어졌고, 알고 싶어지니 이야기로 만들고 싶어졌습니다. 추상적인 개념을 담고 있지만 현실에서 그 어떤 것보다도 강한 힘을 발휘하는 돈에 대해 대한 이야기를 많은 분과 나누고 싶었습니다. 이 다루기 어려운 소재, 그래서 험난한 작업이 예상되는 소재를 픽션으로 펼쳐 줄 작가는 하승민 작가님밖에 없다는 확신으로 함께 작업하자고 요청을 드렸습니다.

작가님께서는 처음 이 제안을 받았을 당시 부담을 안은 채로 많은 고민을 하셨다고 합니다. 돈이 워낙 거대한 개념이기 때문이었습니다. 돈, 어떤 사람은 갈망하고 어떤 사람은 최대한 멀리하고자 하지만 문

명사회에서 살아가기 위해서는 누구에게나 절대적
으로 필수적인 존재. 돈의 역사는 인간 욕망의 역사
이고 발전의 역사이자, 희망과 절망이 수없이 교차
한 기록일 것입니다.

  물론 이를 소설 한 편에 다 담을 수는 없는 노릇이
라 작가님께서는 가장 현실적인 이야기, 그래서 가
장 동시대적인 현상이 담긴 이야기로 돈의 의미를
전달하고자 했습니다. 이 작품을 읽으시는 독자분들
께서 부디 그러한 고민의 여러 지점을 이해하고 혹
은 의심하며, 때로는 긍정하고 때로는 부정하며 읽
어 내려가셨으면 좋겠습니다.

  마지막으로 한 가지 덧붙이고 싶은 이야기가 있습
니다. 영어로 돈을 뜻하는 Money의 어원은 고대 로
마의 여신 주노(Juno)의 별명인 '주노 모네타(Juno
Moneta)'에서 비롯되었다고 합니다. '모네타'는 '경
고하다, 경계하다' 또는 '지키다, 감시하다'라는 뜻
을 가진 '모니투스(monitus)'에서 온 말입니다. 고
대 로마의 성안에는 일곱 개의 언덕이 있었는데 로
마인들은 그중 하나의 언덕 위에 주노를 섬기는 신
전을 지었고, 그곳에 동전을 만드는 '주조소(mint)'
를 뒀습니다. 여신이 주조소를 지켜 주고 돈을 훔치
려는 자들에게 경고를 보내 주길 바랐기 때문이 아
닐까 싶습니다. 그 이후 여신의 별명은 여러 차례 변
형을 겪어 지금의 '머니'가 되었다고 합니다.

이 작품을 준비하고 완성해 가는 동안 '픽션이 현실을 못 이긴다'라는 말을 실감했습니다. 픽션보다 더 픽션 같은 일들이 펼쳐지고, 현실 같지 않은 현실이 마구 찾아왔습니다. 《당신의 신은 얼마》가 적어도 누군가에게는 소중한 것을 지켜 주는 여신의 가호가 되기를, 누군가에게는 현실 같지 않은 현실에 휩쓸려 가지 않도록 하는 경고가 되어 주기를 바랍니다.

안전가옥 스토리 PD
윤성훈 드림

당신의 신은 얼마

지은이	하승민
펴낸이	김홍익
펴낸곳	안전가옥

기획	안전가옥
콘텐츠 총괄	이지향
프로듀서	김홍익 · 윤성훈
	고혜원 · 김보희 · 신지민 · 이은진
	임미나 · 조우리 · 황찬주
퍼블리싱	박혜신 · 이범학 · 임수빈
편집	이혜정
디자인	금종각
경영전략	나현호
비즈니스	이기훈
서비스 디자인	김보영
경영지원	홍연화

출판등록	제2018-000005호
주소	(04779) 서울특별시 성동구 뚝섬로1나길 5,
	헤이그라운드 성수 시작점 201호
대표전화	(02) 461-0601
전자우편	marketing@safehouse.kr
홈페이지	safehouse.kr
ISBN	979-11-91193-59-6
초판 1쇄	2022년 7월 29일 발행
초판 2쇄	2022년 10월 5일 발행